Christian Bobin

L'inespérée

Gallimard

Christian Bobin est né en 1951 au Creusot.

Il est l'auteur d'une vingtaine d'ouvrages dont les titres s'éclairent les uns les autres comme les fragments d'un seul puzzle. Entre autres : *Une petite robe de fête, Souveraineté du vide, Éloge du rien, Le Très-Bas, La part manquante, Isabelle Bruges, La folle allure.*

Une lettre à la lumière
qui traînait dans les rues
du Creusot, en France,
le mercredi 16 décembre 1992,
vers quatorze heures

Madame,

Je n'ai commencé à vous voir que dans le début de l'après-midi et sans doute — pardonnez la misère de cette confidence — parce que je n'avais alors rien de mieux à faire, attendant devant une école de musique où des enfants entraient, encombrés d'instruments parfois plus grands qu'eux.

Vous étiez là bien avant moi. Vous arriviez du fond des temps pour faire ce jour-là vos premiers et derniers pas sur terre. Étant peu matinal, je n'ai pas eu la joie de vous connaître dans votre jeune âge. Celle que j'ai vue traverser un ciel transi de froid était une femme déjà mûre, un peu fatiguée par des heures d'errance, mais c'était incontestablement la plus belle femme que j'aie jamais rencontrée. La beauté, madame, n'a pas d'autre cœur que le vôtre. Je vous regardais comme aurait pu le faire un peintre ou un amant. Les atomes dansant dans le vide et la patience effrayante de Dieu vous avaient revêtue d'une robe de fée. Je vous regardais comme celui qui n'a plus rien à faire de sa vie — qu'à la vivre avec assez d'insouciance et de joie tenue secrète.

Vous alliez partout dans la même seconde, comme une enfant riante. Vous étiez l'image d'une vie détachée de soi, prodigue d'elle-même et parfaitement nonchalante quant à ses lendemains. Pendant que les enfants, dans leur école, recevaient une leçon de musique, je recevais de vous une leçon de bonté : c'est à votre image que j'aimerais aller dans la poignée de jours qui m'est donnée, madame, c'est avec votre gaieté et votre amour insoucieux de se perdre.

Nous ne cherchons tous qu'une seule chose dans cette vie : être comblés par elle — recevoir le baiser d'une lumière sur notre cœur gris, connaître la douceur d'un amour sans déclin. Être vivant c'est être vu, entrer dans la lumière d'un regard aimant : personne n'échappe à cette loi, pas même Dieu qui est, par principe, parce qu'il est le principe supposé de tout, hors la loi. La Bible n'est que l'inventaire des efforts insensés de Dieu pour être entrevu de nous, ne fût-ce qu'une seconde, ne fût-ce que d'un seul homme et cet homme fût-il un bon à rien ou un gardien de chèvres abruti de solitude et de mauvais vin. Tout y passe. Tout est bon à Dieu pour attirer notre attention sur lui, de la grande machinerie des déluges et des orages avec leur vacarme de fer-blanc, jusqu'aux gémissements à peine audibles d'un nouveau-né couché sur la paille, bercé par la respiration besogneuse d'un âne et d'un bœuf. C'est bien sûr cette dernière tentative qui s'avère être la bonne : on ne peut voir que là où il n'y a plus aucune ténèbre de puissance. Le pouvoir aveugle, la gloire assombrit. Jadis les princes sortaient de leurs palais en grand *arroi* : carrosses, chevaux, valets, étendards, parades de toutes sortes. Le mot désarroi vient de là. Être en désarroi c'est être privé d'escorte, avancer dans une vie dépouillée de tout revêtement de force. Dieu sous les ornements de la foudre ou de la royauté, c'est insignifiant. Dieu sous le sommeil d'un nouveau-né ou sous le désarroi de votre allure — c'est immense, madame, immense.

Je connais des gens qui vous feraient sourire et que vous avez peu de chance d'éblouir, reclus qu'ils sont dans le chagrin de leurs bibliothèques ou de leurs laboratoires. Ces gens recherchent avec application le fin fond des choses, l'explication dernière du monde. Dans leur manie méditative ils ne négligent rien, sauf un détail : personne ne peut tenir la vérité près de soi, fût-ce dans le cachot d'une formule. La vérité, on ne peut l'avoir, seulement la vivre. La vérité c'est vous, madame : de la lumière qui vient, de la lumière qui passe. Le plus profond mystère est en vous révélé, donné à qui le veut.

Il faut que je vous fasse un aveu : longtemps je ne vous ai pas aimée. Longtemps je n'ai pas aimé vos sœurs. Un ciel délivré des ombres, c'était l'horreur pour moi. Je n'appréciais que les temps gris, et cela en raison de la mélancolie en moi, de l'insecte de mélancolie qui cheminait en moi comme dans une souche creuse, vermoulue. C'est une maladie qui affecte l'esprit d'autant plus sûrement qu'il craint alors de s'en défaire : le mélancolique est celui qui est persuadé d'avoir tout perdu — sauf sa mélancolie à quoi il tient farouchement. C'est la maladie de celui qui, dépité de n'être pas tout, choisit, par un revers enfantin de l'orgueil, de n'être rien, ne gardant du monde que ce qui lui ressemble : le morne et le pluvieux. Cette maladie m'est passée, madame. Je ne sais trop comment, mais elle m'est passée.

Aujourd'hui je sais vous aimer, et si je goûte toujours les ciels gris, c'est d'une manière plus calme : je les aime parce qu'ils sont, non parce qu'ils confirmeraient une catastrophe éprouvée au-dedans de mon esprit.

Au fond, même dans ces accès de mélancolie, je n'ai jamais trop su quoi faire de cette vie sinon l'aimer, l'aimer follement et le lui dire : écrire des lettres d'amour, éclairer la blancheur d'un papier en y renversant de l'encre. Ce serait devenu, à la longue, ma principale occupation : un petit métier artisanal, proche de celui de la peinture d'icônes. Ici avec de l'encre, là avec de l'or, c'est la même lenteur qui est requise, le même invisible qui est donné à voir. Je vous aime, madame — même si cet amour ne vaut pas et ne vaudra jamais pour un acquiescement au monde : on ne peut ressentir la douceur de cette vie sans en même temps concevoir une colère absolue contre le mal qui la serre de toutes parts. C'est une règle à laquelle obéissent les peintres quand ils renforcent leurs noirs, afin que leurs clairs soient vraiment clairs.

Écrire des lettres d'amour est, certes, un travail peu sérieux et sans grande importance économique. Mais si plus personne ne l'exerçait, si personne ne rappelait à cette vie combien elle est pure, elle finirait par se laisser mourir — vous ne croyez pas ?

Voilà quelques-unes des pensées que vous me donniez, pendant que je vous regardais, emportant ce jour vers l'hiver proche, le serrant dans vos bras nus comme un bouquet de fleurs fraîches. Et j'ai compris soudain que vous ne reviendriez pas dans ma vie, que je mourrais sans vous avoir revue : demain, c'est une autre de vos sœurs qui descendrait du ciel pour nous éclairer dans nos pauvres occupations, ce ne serait plus jamais vous.

Comment vous le dire plus simplement : j'aimerai vos sœurs d'un même amour, car j'ai le cœur changeant, par fidélité au seul passage de la vie dans ma vie. Cependant je ne peux vous laisser aller au néant sans retenir ici votre nom et vous remercier pour cette visite qui s'est achevée avec votre défaite : à cinq heures de l'après-midi dans le milieu de décembre, l'ombre avait repris ses droits.

Quelques étoiles s'approchaient et je devinais dans leur clarté un peu de votre âme disparue — frivole et gaie, inoubliable.

Le mal

Elle est sale. Même propre elle est sale. Elle est couverte d'or et d'excréments, d'enfants et de casseroles. Elle règne partout. Elle est comme une reine grasse et sale qui n'aurait plus rien à gouverner, ayant tout envahi, ayant tout contaminé de sa saleté foncière. Personne ne lui résiste. Elle règne en vertu d'une attirance éternelle vers le bas, vers le noir du temps. Elle est dans les prisons comme un calmant. Elle est en permanence dans certains pavillons d'hôpitaux psychiatriques. C'est dans ces endroits qu'elle est le mieux à sa place : on ne la regarde pas, on ne l'écoute pas, on la laisse radoter dans son coin, on met devant elle ceux dont on ne sait plus quoi faire. Les jours, dans les hôpitaux comme dans les prisons, sont plus longs que des jours. Il faut bien les passer. On lui fait garder les invalides mentaux, les prisonniers et les vieillards dans les maisons de retraite. Elle a infiniment moins de dignité que ces gens-là, assommés par l'âge, blessés par la

Loi ou par la nature. Elle se moque parfaitement de cette dignité qui lui manque. Elle se contente de faire son travail. Son travail c'est salir la douleur qui lui est confiée et tout agglomérer — l'enfance et le malheur, la beauté et le rire, l'intelligence et l'argent — dans un seul bloc vitré gluant. On appelle ça une fenêtre sur le monde. Mais c'est, plus qu'une fenêtre, le monde en son bloc, le monde dans sa lumière pouilleuse de monde, les détritus du monde versés à chaque seconde sur la moquette du salon. Bien sûr on peut fouiller. On trouve parfois, surtout dans les petites heures de la nuit, des paroles neuves, des visages frais. Dans les décharges on met la main sur des trésors. Mais cela ne sert à rien de trier, les poubelles arrivent trop vite, ceux qui les manient sont trop rapides. Ils font pitié, ces gens. Les journalistes de télévision font pitié avec leur manque parfait d'intelligence et de cœur — cette maladie du temps qu'ils ont, héritée du monde des affaires : parlez-moi de Dieu et de votre mère, vous avez une minute et vingt-sept secondes pour répondre à ma question. Un ami à vous, un philosophe, passe un jour là-dedans, dans la vitrine souillée d'images. On lui demande de venir pour parler de l'amour, et parce qu'on a peur d'une parole qui pourrait prendre son temps, peur qu'il n'arrive quelque chose, parce qu'il faut à tout prix qu'il ne se passe rien que de confus et de désespérant — c'est-à-dire *moins que rien* —, en raison de cette peur on invite également vingt personnes, spécialistes de ceci, expertes en cela, vingt personnes soit trois minutes la personne. La vulgarité, on dit aux enfants qu'elle est dans les mots. La vraie vulgarité de ce monde est dans le temps, dans l'incapacité de dépenser le temps autrement que comme des sous, vite, vite, aller d'une catastrophe aux chiffres du tiercé, vite glisser sur des tonnes d'argent et d'inintelligence profonde de la vie, de ce qu'est la vie dans sa magie souffrante, vite aller à l'heure suivante et que surtout rien n'arrive, aucune parole juste, aucun étonnement pur. Et votre ami, après l'émission, il s'inquiète un peu, quand même, pourquoi cette haine de la pensée, cette manie de tout hacher menu, et la réalisatrice lui fait cette réponse, magnifique : je suis d'accord avec vous mais il vaut mieux que je sois là, si d'autres étaient à ma place, ce serait pire. Cette parole vous fait penser aux dignitaires de l'État français durant la Seconde Guerre mondiale, à cette légitimité que se donnaient les vertueux fonctionnaires du mal : il fallait bien prendre en charge la déportation des juifs de France, cela nous a permis d'en sauver quelques-uns. Même abjection, même collaboration aux forces du monde qui ruinent le monde, même défaut absolu de bon sens : il y a des places qu'il faut laisser désertes. Il y a des actes qu'on ne peut faire sans aussitôt être défait par eux. La télévision, contrairement à ce qu'elle dit d'elle-même, ne donne aucune nouvelle du monde. La télévision c'est le monde qui s'effondre sur le monde, une brute geignarde et avinée, incapable de donner une seule nouvelle claire, compréhensible. La télévision c'est le monde à temps plein, à ras bord de souffrance, impossible à voir dans ces conditions, impossible à entendre. Tu es là, dans ton fauteuil ou devant ton assiette, et on te balance un cadavre suivi du but d'un footballeur, et on vous abandonne tous les trois, la nudité du mort, le rire du joueur et ta vie à toi, déjà si obscure, on vous laisse chacun à un bout du monde, séparés d'avoir été aussi brutalement mis en rapport — un mort qui n'en finit plus de mourir, un joueur qui n'en finit plus de lever les bras, et toi qui n'en finis pas de chercher le sens de tout ça, on est déjà à autre chose, dépression sur la Bretagne, accalmie sur la Corse. Alors. Alors qu'est-ce qu'il faut faire avec la vieille gorgée d'images, torchée de sous ? Rien. Il ne faut rien faire. Elle est là, de plus en plus folle, malade à l'idée qu'un jour elle pourrait ne plus séduire. Elle est là et elle n'en bougera plus. Un monde sans images est désormais impensable. Il y aura toujours des jeunes gens dynamiques pour la servir, pour faire la sale besogne à ta place, à la place de tous les autres, au nom de tous les autres. Il faut laisser le bas aller jusqu'au bas, laisser la décomposition organique du monde se poursuivre. C'est vers la fin déjà, ça va vers sa fin, il ne faut rien toucher à l'agonie en cours, ne surtout pas réparer ce qui se détraque — autant mettre du fond de teint sur les joues cireuses d'une morte. Laisser proliférer les images aveugles : quelque chose vient par en dessous, quelque chose vient à notre rencontre. Il y a dans la douleur une pureté infatigable, la même que dans la joie, et cette pureté est en route dessous les tonnes d'imaginaire congelé. En attendant, les images vraies, les images pures de vérité trouvent asile dans l'écriture, dans la compassion de solitude de celui qui écrit, Velibor Čolić, par exemple. Un écrivain yougoslave, il ne fait pas de belles images, il dit ce qu'il voit, c'est aussi simple que ça. Il dit une chose qui se passe à Modriča, en Bosnie-Herzégovine, le 17 mai 1992. Il la dit comme une chose éternelle. Il voit dans la singularité d'un lieu et d'un acte l'éternel du monde depuis ses débuts de monde : ainsi tu peux lire sans que le courage s'en aille, sans que tu te dises à quoi bon, ainsi tu donnes à la phrase le temps de s'écrire, à la douleur du monde le temps d'entrer dans ton esprit pour y délivrer son sens. Tu lis : *Le tzigane Ibro gagnait sa vie en revendant de vieux papiers et des bouteilles vides. Il possé-*

dait une charrette déglinguée et plusieurs générations d'habitants de Modriča l'avaient entendu dans le petit matin pousser son célèbre : « Transports en tout genre ! On charge les morts comme les vivants ! » Il habitait une étrange chaumière, dans une rue à proximité de la Maison médicale. Il avait une femme sourde-muette et un fils d'une quinzaine d'années, débile mental. Le 17 mai, quand l'armée serbe entra définitivement dans Modriča, le tzigane Ibro refusa de fuir, bien qu'il fût musulman. On n'eut pas de pitié pour lui. Les soldats serbes lui coupèrent le cou, ainsi qu'à sa femme et à son fils et, comme au « temps des Turcs », plantèrent leurs têtes sur les piquets de la palissade qui entourait la maison. D'après ce que nous ont raconté les témoins, il y avait, sur la table, dans la cour, une bouteille de raki et du café tout frais. Pour accueillir les militaires, au cas où ils viendraient. Tu lis ça et tu le vois, lui, sa femme, son fils, la gaieté juvénile des meurtriers, les têtes sur les piquets et le café frais. La télévision, elle t'aurait peut-être montré le café mais elle aurait insisté sur les têtes, avec un marmonnement du genre : « nous avons hésité à vous le montrer », et en avant la suite, on n'a pas que ça à faire, dépression sur la Corse, accalmie en Bretagne. Et tu serais resté dans ta salle à manger, stupide, trois têtes sur la table. Là tu as tout — et la pureté tragique du tout : l'hospitalité accordée aux assassins. Le mal de la télévision, ce n'est pas dans la télévision qu'il est, c'est dans le monde, et si on les confond c'est qu'ils ne font plus qu'une masse perdue, souffrante. Le mal du monde est là depuis toujours, dans le refus de l'hospitalité, premier feu sacré de l'histoire humaine, avant même le surgissement de Dieu. C'est le mal du monde et c'est celui dont souffre la folle repue d'images : ne rien accueillir des images faibles de la douleur, méconnaître les lois élémentaires de l'hospitalité qui veulent que l'on donne de l'eau à ce qui vient de si loin. Je distrais, dit la télévision, et elle ne fait plus rire depuis longtemps. On ne peut pas faire de la culture pour tout le monde, dit la télévision, et on n'ose pas lui répondre que ce n'est pas un problème de culture mais d'intelligence, ce qui n'est pas du tout du même ordre. L'intelligence n'est pas affaire de diplômes. Elle peut aller avec mais ce n'est pas son élément premier. L'intelligence est la force, solitaire, d'extraire du chaos de sa propre vie la poignée de lumière suffisante pour éclairer un peu plus loin que soi — vers l'autre là-bas, comme nous égaré dans le noir. Je donne dans le sentiment, dit la télévision, et on n'a pas le courage de lui montrer l'abîme qu'il y a, entre le sentiment et la sensiblerie. C'est pas moi, dit la télévision à bout de course, c'est le peuple, je fais ce que veut le peuple — et il n'y a plus qu'à se taire devant l'analphabétisme grave de la télévision et de ceux qui la font. Le mot de peuple est un des plus beaux mots de la langue française. Il dit le manque et l'entêtement, la noblesse des gueux sous l'incurie des nobles. Il dit le contraire exact de ce que dit la télévision. Et pour l'instant on en est là : la douleur arrive affamée dans les bras de la télévision qui la fourre aussitôt dans tes bras sans l'avoir nourrie — écoutée, vue. Alors elle repart, la douleur, elle cherche un droit d'asile dans l'encre avant de le trouver un jour dans l'église des images — car c'est sûr et certain : il y aura un jour un homme assez intelligent pour savoir filmer une bouteille de raki et du café tout frais, et cet homme prendra son temps, dira ce qu'il croit juste ou se taira, parce qu'il est parfois nécessaire de se taire pour délivrer une parole juste — et montrer, longtemps montrer, simplement montrer, calmement montrer une bouteille de raki et du café tout frais.

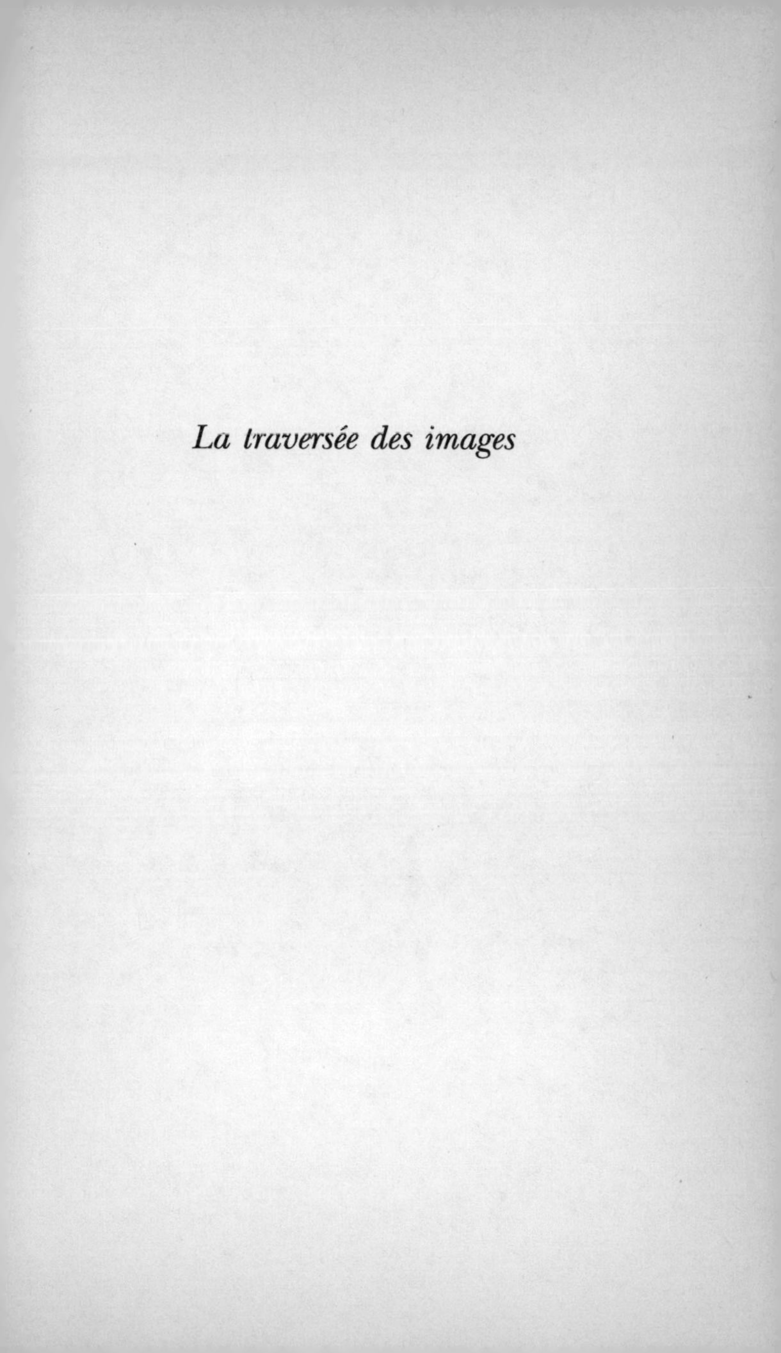

La traversée des images

Vous arrivez chez lui vers la fin de l'après-midi. Chez lui, en Haute-Savoie. Chez lui, dans sa maison, dans sa ferme, dans sa tanière d'encre et de bois. Vous arrivez là comme vous arrivez partout, avec l'impatience de repartir bientôt. C'est une infirmité que vous avez de ne pouvoir envisager un voyage autrement que comme un détour pour aller de chez vous à chez vous. Très vite, où que ce soit, y compris auprès des gens que vous aimez, vous êtes dans la langueur des murs et des fenêtres de votre solitude. C'est le sommeil qui vous manque, cette somnolence qui vous prend des heures entières dans votre appartement, à ne rien faire, rien lire, rien écrire, et vous ne pouvez raisonnablement pas aller chez des gens pour y disparaître aussitôt dans un repos des yeux, de la parole, de l'âme, vous ne pouvez demander à ceux que vous aimez de supporter une présence aussi faible, presque évanouie. C'est plus fort que vous : il vous est nécessaire de refuser une quantité considérable de rencontres, afin de préserver une chose dont la plus juste formule est « rien » : ne rien faire, rien dire, presque rien être. Vous y découvrez le cœur subtil du temps, son cœur battu par le rien du sang dans les veines. C'est un état limite dont vous avez besoin, une mince ligne de rien entre l'ennui et le désespoir — et la joie qui passe en funambule sur ce fil, la joie qui se nourrit précisément de rien, par exemple d'un regard sur le ciel d'aujourd'hui, contemplé depuis votre lit d'infirmité active, depuis votre fainéantise d'écriture : une lumière transparente. Un bleu sans épaisseur. On dirait que les anges viennent de laver leur linge et que, n'étant riches que de leur seul amour, ils portent toujours la même lumière, rendue transparente par des milliers de lessives. Dans le bleu de cette beauté vous devinez le noir où elle s'abîmera bientôt, et vous trouvez dans cette vie conjugale du bleu et du noir l'unique leçon de choses qui vous convienne, la preuve d'une excellence de cette vie où tout nous est donné à chaque instant, le bleu avec le noir, la force avec la blessure. La seule tristesse qui se rencontre dans cette vie vient de notre incapacité à la recevoir sans l'assombrir par le sentiment que quelque chose en elle nous est dû : rien ne nous est dû dans cette vie, pas même l'innocence d'un ciel bleu. Le grand art est l'art de remercier pour l'abondance à chaque instant donnée. L'écriture est une variante chinoise de ce remerciement, une révérence devant la vie dans son manteau de rien, doublé d'amour. Oui mais voilà : qui ou quoi remercier ? Qui ou quoi est derrière le rideau bleu et noir ? Cela, vous ne l'avez jamais su. Vous n'avez jamais deviné vers quoi pouvaient aller les phrases écrites, l'encre répandue comme du parfum sur la chair de papier blanc. C'est pour parler de ça que vous alliez en Haute-Savoie, voir cet écrivain que vous aimez sans encore l'avoir rencontré. Et bien sûr les choses se passent autrement que prévu. Vous entrez dans la maison et ce n'est pas lui que vous voyez d'abord mais elle, sa compagne, tournant le dos à la fenêtre où brûle un peu de ciel. Elle est debout devant une table de repassage. Le ciel, la table, le linge, les mains et le visage de cette femme : vous regardez cette image, vous vous demandez pourquoi elle s'est immédiatement séparée des couleurs de son apparition, comme recouverte d'une fine pellicule d'or. Vous y reconnaissez d'abord le pauvre rêve masculin d'une femme asservie à demeure, fixée à demeure dans le service des siens. Oui, il y a d'abord, vous ne pouvez l'écarter, cette fascination bien masculine pour une femme qui serait ce qu'aucune d'elles n'est jamais : sage comme une image. C'est comme ça que les maris doivent regarder leur femme en train de repasser : là, dans l'instant, ils sont sûrs que cette femme ne les quittera pas, comme si l'éphémère de leur occupation garantissait l'éternité de leur présence. Il y aura toujours du repassage, donc celle qui le fait sera toujours là. Il y a encore bien d'autres lueurs dans cette image : repasser du linge est un travail, donc une fatigue, mais la part somnambulique de ce geste permet à celle qui le fait d'entrer dans une méditation légère. Les maris ont tort de se rassurer à si peu de frais : celle qui repasse du linge est dans le même instant à l'autre bout du monde, dans la fugue ininterrompue de son cœur. Il y a aussi la faiblesse des matières touchées par ces mains de femme : coton, laine, soie. Le linge est l'ultime armure des corps. Celle qui en prend soin, qui le lave et le rafraîchit par la chaleur du fer, est comme celle qui frôle le secret des chairs d'une main calme, apaisante. Et puis maintenant, parce que la bêtise et l'intelligence se tutoient dans votre tête, maintenant vous éclatez de rire sous un visage imperturbable, en vous disant : suffit comme ça. Tu as déjà tendance à voir les mères comme des saintes, tu ne vas pas en plus célébrer la gentille épouse clouée à sa table de repassage pour l'éternité, arrête un peu, je t'en prie, arrête. Reste, longtemps après ce déluge d'adoration et de bêtise, l'évidence d'une paix donnée à leur insu par celles qui croient ne faire que se soucier de la vie ordinaire, sans soupçonner la noblesse d'un tel souci. À présent c'est lui que vous voyez et c'est vers lui que vous vous tournez — un écrivain. Comment c'est, un écrivain, dans votre tête : étrange à dire, mais ce n'est pas d'abord lié à l'écriture. Un écrivain c'est quelqu'un qui se bat avec l'ange de sa solitude et de sa vérité. Une lutte confuse, sans nette conclusion. Un combat de rue, une empoignade de voyous, des plumes qui volent dans tous les sens et parfois, comme dans tout affrontement, un instant de trêve. Un livre, parfois. Mais pas toujours, pas nécessairement. Il vous est arrivé de rencontrer des personnes bouleversées par leur propre parole. Leur conversation irradiait une intelligence vraie, non convenue, et quand ces gens entreprenaient d'écrire, plus rien : comme si la peur de mal écrire et la croyance qu'il y a des règles leur faisaient perdre d'un seul coup toute vérité personnelle. Ces gens, vous les reconnaissiez comme d'authentiques écrivains. Ce n'est pas l'encre qui fait l'écriture, c'est la voix, la vérité solitaire de la voix, l'hémorragie de vérité au ventre de la voix. Est écrivain toute personne qui ne suit que la vérité de ce qu'elle est, sans jamais s'appuyer sur autre chose que la misère et la solitude de cette vérité. Dans ce sens, les enfants et les amoureuses sont des écrivains-nés. Un jour vous aviez tenu entre vos mains la fleur du titre d'un livre, seulement son titre : *L'après-midi d'un écrivain.* Avant même de prendre connaissance de l'histoire, il vous avait semblé évident qu'elle allait vous montrer un écrivain dans ces heures où il n'écrit pas. Le premier mot — l'après-midi — détruisait donc le second — l'écrivain. L'histoire s'inventait seule sur la couverture du livre : l'après-midi venait à la rencontre de l'écrivain, et de cette rencontre naissait un mystère absolu : que fait celui qui écrit lorsqu'il n'écrit pas ? La réponse — dans votre tête, pas dans le livre — était la suivante : il écrit encore. Pas avec des mots, pas avec de l'encre. Mais il écrit toujours. Et la question suivante venait nécessairement : qu'est-ce que cette écriture qui n'a pas besoin de mots pour être ? Ou bien encore : que fait celui qui ne fait rien ? Question qui vous intéresse au plus haut point et dont vous ne trouverez sans doute jamais la réponse, pas même ici, en Haute-Savoie. Celui qui vous fait face est comme ses livres : noueux et tendre. Ce qu'il est dans ses livres, il l'est dans sa vie — à une image près, au rien d'une image qu'il vous confie, trop légère pour tomber dans les livres, trop folle pour dormir sous la vie : l'image de sa mère qui s'enfuit du domicile familial, échappe à la table de repassage et court sur un pont de Londres, sa mère jeune et peu instruite qui va comme un animal pourchassé dans les grandes rues de Londres, qui arrive à bout de souffle dans un musée pour voir une toile, juste une toile du peintre Turner : un ciel maculé de lumière, un carré de silence. Dans cette image vous le découvrez plus encore que dans ses livres. C'est comme s'il vous disait : je suis l'enfant d'une femme au cœur bleu ciel, c'est la folie des mères qui engendre la folie d'écrire. Et les heures passent. L'après-midi, le soir, la nuit. Le lendemain il vous raccompagne à votre voiture et c'est juste avant de claquer la portière qu'il vous donne cette deuxième image : « Un jour j'étais à l'abbaye de Hautecombe, pas loin d'ici. Je ne suis pas croyant. Je suis communiste. Ce n'est pas la même chose — mais c'est une chose aussi pauvre, aussi perdue. Communiste ou croyant, ce sont des mots qu'on ne sait plus dire. Ils ont traîné dans la boue, ils reviendront comme neufs. Un jour quelqu'un aura l'idée toute simple de les passer sous la lumière de son esprit, les nettoyer au jet, et on verra alors combien ils nous manquaient, ces mots, combien ils nous connaissaient par cœur. Je vais dans l'abbaye parce qu'il y a un ami qui s'y trouve. Je le vois, je le quitte, puis je m'attarde sur un banc de la chapelle. C'est la fin du jour. Je n'entends pas la fermeture des portes : je me retrouve soudain dans le noir. Un seul point de lumière : une icône qui flambe sans doute jour et nuit, l'or du visage d'une mère de seize ans.

C'est la mère du Christ. Ce n'est pas plus estimable d'être la mère du Christ que d'être la mère de n'importe quel enfant : dans tous les cas le travail des mères est impossible et pourtant elles le mènent à bien, c'est incroyable une chose comme ça, incroyable. Et pendant que dans le noir je regarde la beauté d'une gosse de seize ans, enceinte, comme on dit, jusqu'aux yeux — oui, on a raison de le dire aussi trivialement : celle qui porte un enfant, que cet enfant soit le Christ ou un assassin, a la prunelle de ses yeux brûlée de douceur et de crainte — pendant que je la regarde, j'entends un bourdonnement, et ce bourdonnement devient murmure, et ce murmure devient un flux, une marée de voix basses, masculines, accordées les unes aux autres : les moines venaient d'entrer pour une de leurs prières rituelles. Un troupeau de voix graves, une armée d'hommes lourds qui venaient se rendre aux pieds d'une gamine de seize ans illuminée de joie et de douleur. Alors tu vois, ce qu'il y a au bout de la parole de louange, ce qu'il y a à la pointe extrême du geste de celui qui reçoit et s'incline en recevant, c'est peut-être ça, simplement ça : un visage enfantinement perdu, un visage si effarouché que toute parole le ferait fuir, hors celle du chant amoureux, hors celle du chant nocturne du bleu des voix d'amants. » Sur le chemin du retour, les icônes de la repasseuse et de l'adolescente enceinte se mélangent dans la vitesse de la voiture, échangent leurs teintes et leurs contours, disparaissent peu à peu. Vous voilà à nouveau chez vous devant la fenêtre ouverte, à ne rien faire, même pas écrire, à ne voir ni la sainte dans sa cage d'or, ni la servante dans son ciel bleu — juste une femme égarée sur tous les ponts de Londres, ni la mère ni l'épouse, juste une femme dans la traversée des ciels, dans la passion d'une question indifférente à sa réponse : qu'est-ce donc que cet amour qui n'a besoin d'aucun mot pour nous appeler, de quoi sommes-nous l'image pour nous réjouir ainsi d'une simple image, d'un carré de lumière sur un mur noir ?

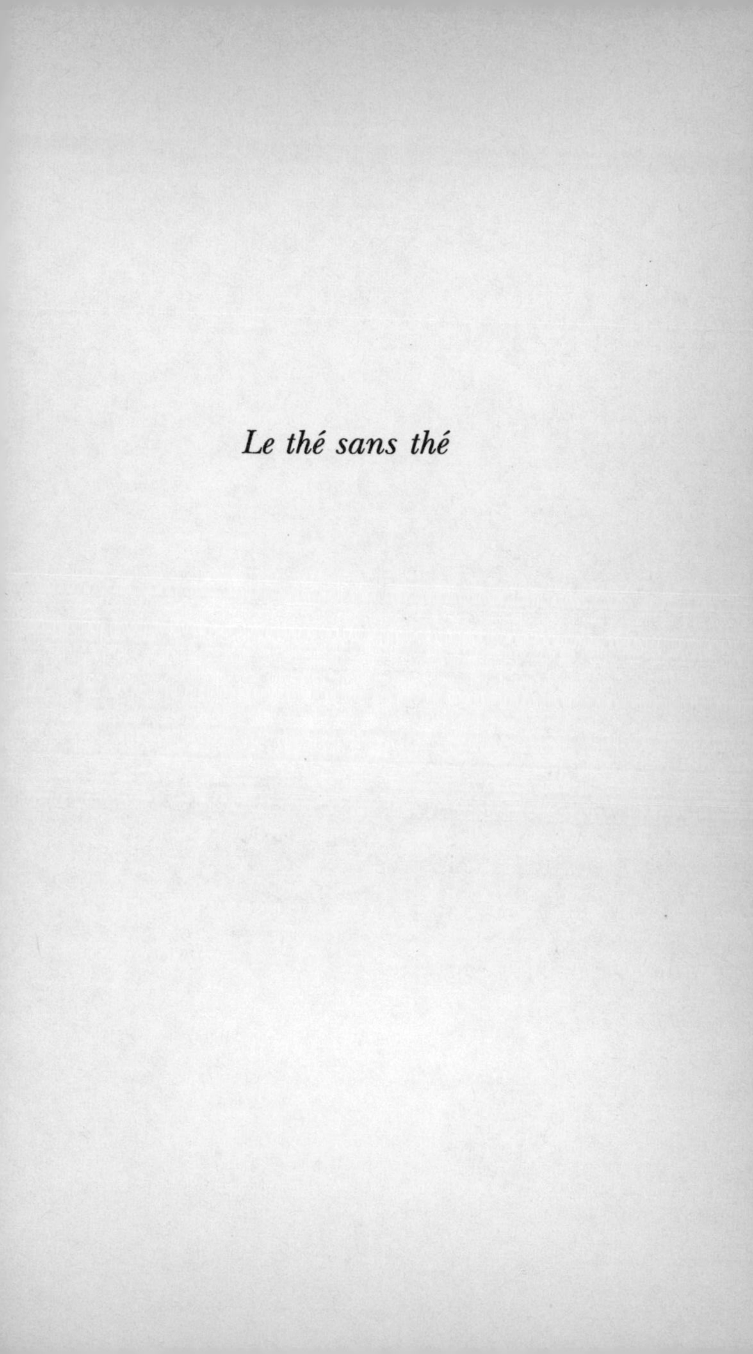

Le thé sans thé

La parole est derrière une table, sur une estrade. Vous êtes assis avec les autres sur les gradins de l'amphithéâtre et la parole monte vers vous, le parfum de la parole savante, les volutes de la parole grise. Cinq cents adultes, beaucoup de femmes, beaucoup qui écrivent pliées en deux sur leur pupitre, qui prennent des notes qu'elles ne reliront pas, et tellement de sérieux sur les visages, le sérieux de qui s'applique à bien entendre comme on s'efforce de bien manger, sans rien renverser à côté de l'assiette, le sérieux de l'enfance obéissante, préoccupée de bien apprendre afin d'avoir une bonne note et de gagner l'amour du maître. Cinq cents enfants de trente à cinquante ans, dans l'infirmité de celui qui ne sait rien, à qui on va tout révéler. Vous avez déjà assisté à ce genre de réunion, avec une parole derrière la table. Dans les milieux les plus divers, dans ceux de l'industrie ou de l'université. Et toujours une même réjouissance sur la plupart des visages, et toujours l'ennui sur le vôtre, la parole savante qui se change en migraine dès qu'elle vous atteint, dès les premiers mots d'ouverture du colloque, de la leçon ou du séminaire. Longtemps vous n'avez pu fuir ce genre de punition, car elle faisait partie de votre travail. Ce travail a duré dix ans et plusieurs fois par année vous aviez rendez-vous avec la parole migraineuse. Deux, trois jours autour d'une table ronde, à regarder le ciel par les vitres — un ciel jamais si beau que dans ces heures de pénitence. Une seule fois vous aviez pu déserter. Vous aviez inventé un prétexte et vous aviez passé deux jours délicieux, loin, si loin des mots savants, des voix analphabètes. Ce jour-là des enfants vous avaient convié à un jeu, un repas de poupées. Tout au fond du jardin, ils vous invitaient à partager, à l'étroit dans une cabane de tôle ondulée, un thé sans eau, un thé sans thé, un thé absent versé dans des tasses en plastique sales. Vous aviez répondu à leur invitation et goûté lentement le thé invisible, accompagnant votre dégustation de commentaires, dans le temps où, à quelques centaines de mètres de là, le colloque s'enfonçait dans l'ennui et la mort — un repas d'ombres autour d'une table d'ombre. Votre travail vous donnait l'ennui avec l'argent. En s'arrêtant au bout de dix ans il vous enlevait l'argent — et l'ennui. Depuis vous n'avez plus assisté à aucun colloque. Parfois on vous dit : quel dommage. Autour de vous on trouve ça bien intéressant, de passer autant d'heures dans le noir d'une parole, sans bouger de sa place. On a toujours trouvé très intéressant, très instructif ce qui vous donnait des maux de tête incroyables. Ingénieur en séminaire, enseignant en formation, sociologue en colloque — on est heureux d'être là. On y est pour deux, trois jours. On ne rentre pas chez soi, on écoute des choses intéressantes et puis ça change de l'ordinaire. C'est peut-être ça qui vous accable. Ce n'est que ça : changer d'ordinaire. Car vous ne savez rien de mieux que l'ordinaire de la vie où vous êtes, car vous ne goûtez rien de mieux que cette solitude ordinaire dans la vie silencieuse, loin du marbre des paroles, du tombeau des visages. La vie en société c'est quand tout le monde est là et qu'il n'y a personne. La vie en société c'est quand tous obéissent à ce que personne ne veut. L'écriture c'est une façon d'échapper à cette misère, une variation de la solitude au même titre que l'amour ou le jeu — un principe d'insoumission, une vertu d'enfance. Alors pourquoi vous êtes là, aujourd'hui. Vous êtes dans cet amphithéâtre un peu pour l'argent, un peu pour l'amitié. On vous a invité à lire de vos textes, en fin de soirée. Cette lecture sera payée. Celui qui vous a invité est un psychiatre. Il préside à ce colloque mais vous ne le voyez pas comme une autorité, plutôt comme un enfant. Un enfant malicieux de cinquante ans, soucieux de ce qu'il voit, riant de ce qu'il pense. Et comment refuser l'invitation d'un enfant ? Mais l'argent ni l'amitié n'auraient suffi. La curiosité a emporté votre décision, vous a mené là, dans un amphithéâtre de l'école de médecine. Des enseignants, des industriels ou des écrivains, vous connaissez un peu. Vous savez ce qu'ils font chacun dans leur coin, et ce qu'ils deviennent quand on les rassemble dans une salle. Mais des psychiatres vous ne connaissez rien, sinon qu'ils touchent par une main à la mort et par une autre main à la vie, et vous êtes curieux de voir comment on peut s'arranger d'un tel mélange, une main glacée, une main brûlante. Le thème des rencontres c'est : psychothérapie familiale. Psycho ça veut dire : esprit. Un esprit souterrain dans le sang, une pensée emmaillotée de chair. Thérapie ça veut dire : soin, soigner, guérir. Familiale, vous ne savez trop. Le mot, laissé à l'aventure dans votre songe, ramène ceux de chaleur, de fusion, de cocon — d'étouffement. Ainsi entendez-vous le thème de ces journées : soigner les esprits qui s'étouffent. Guérir les âmes qui s'étranglent. La matinée commence et avec elle le bourdonnement de la parole derrière la table. Ce n'est pas indifférent qu'entre vous et la parole il y ait cette table. La parole est une denrée périssable, éphémère. Elle se teinte de toutes les circonstances de son apparition. Les mêmes mots, prononcés dans des lieux différents, ne sont pas les mêmes mots. La parole amoureuse se prononce en passant, dans la foulée d'un pas dansant. Légère, elle n'a que sa légèreté à dire. La parole savante s'énonce derrière une table. Lourde du bois de la table et de la chaise, elle vous arrive essoufflée. La vérité qu'elle contenait a tourné, le temps de vous atteindre, en morale ou en ennui. Entre ces deux extrémités de la parole — l'amour et la raison, le grand ciel et la table grise —, tous les mélanges, tous les intermédiaires possibles. Ici, dans cet amphithéâtre, pendant longtemps il ne se passe rien. Quelqu'un lit ses notes devant un micro. Les autres recopient sur leurs cahiers ce qui est lu. Enfin quelque chose advient : une parole que l'on ne peut plus recopier, seulement entendre. Si cette parole attire l'attention, c'est parce qu'elle est mise en scène. Deux psychologues, un homme et une femme, décrivent en détail leurs rencontres avec une malade et sa famille. Une jeune fille souffre d'hallucinations. Elle entend des voix qui la gouvernent, qui la condamnent. Au fil des rencontres, les questions posées aux parents font apparaître la pauvre vérité. Au départ, un peu de boue, un peu de honte. Une femme trop vivante au gré de son entourage, une femme trop libre pour se soumettre à aucune loi — sinon à celle d'aimer. Cette femme, la famille n'en veut plus. Elle n'a pas de place chez nous : qu'on lui enlève son visage et son nom, qu'on l'efface de toutes mémoires. Elle n'aura plus de place que dans le silence — un abcès de silence qui va d'une génération à la génération suivante, une maladie du silence qui enfle et crève dans cette maladie des voix — dans cette souffrance d'une enfant. Les psychologues rapportent scrupuleusement les propos de chacun des parents, ménageant des pauses avant les paroles les plus éclairantes. Ce qui vous étonne, ce n'est pas l'histoire. Elle est, au fond, assez banale. Toutes les maisons ont leur enfer. Ce qui vous étonne, c'est la jouissance de ceux qui racontent, une jouissance contagieuse qui gagne leur auditoire — la tache d'huile d'une jouissance sur les gradins de l'amphithéâtre. La malade c'est celle qui parle et ne sait ce qu'elle dit. Les médecins ce sont ceux qui croient savoir ce qui est dit, et qui se réjouissent de le croire. La malade c'est celle qui vient en aide aux médecins, qui aide les médecins à jouir de la grande pertinence de leur pensée. Les deux psychologues parlent à tour de rôle, se répartissent les dialogues. Vous connaissez à les entendre un plaisir mêlé de dégoût. Vous les voyez comme un couple. Ils ont la même voix suave pour dire le pire. La même jubilation à dire. Qu'est-ce qui fait un couple ? Qu'est-ce qui, en présence d'un homme et d'une femme, impose parfois cette image conjugale ? Ce n'est pas nécessairement une histoire qu'ils auraient en commun. Ce n'est même pas lié à une entente amoureuse. La mésentente n'empêche pas l'image du couple d'apparaître, au contraire. Vous écoutez cette histoire des deux familles — celle des médecins, celle de la malade. Ce qui fait un couple ce n'est ni un lit, ni une maison, ni une histoire. Ce qui fait un couple c'est la nourriture : un couple c'est quand deux respirent le même air, avalent la même nourriture — la même amertume ou la même joie. Et ces deux-là, qu'est-ce qu'ils mangent ? Ils mangent de la souffrance, du malheur. Ils s'en délectent, ils s'en régalent. La parole qui est derrière la table ne vient même plus jusqu'à vous, maintenant. La parole reste sur la table et vous regardez ceux qui la prennent avec leurs mains et la portent à leur bouche, vous regardez ceux qui, dans l'envie de l'assistance, engloutissent des parts entières d'une vérité noire, d'une parole avariée, et vous prend soudain la nostalgie violente d'une autre nourriture, l'envie d'en revenir à cette parole légère sous des tôles ondulées — l'exquise saveur d'un thé sans eau, l'enfance sans remède, la vérité inguérissable, la perfection du thé sans thé.

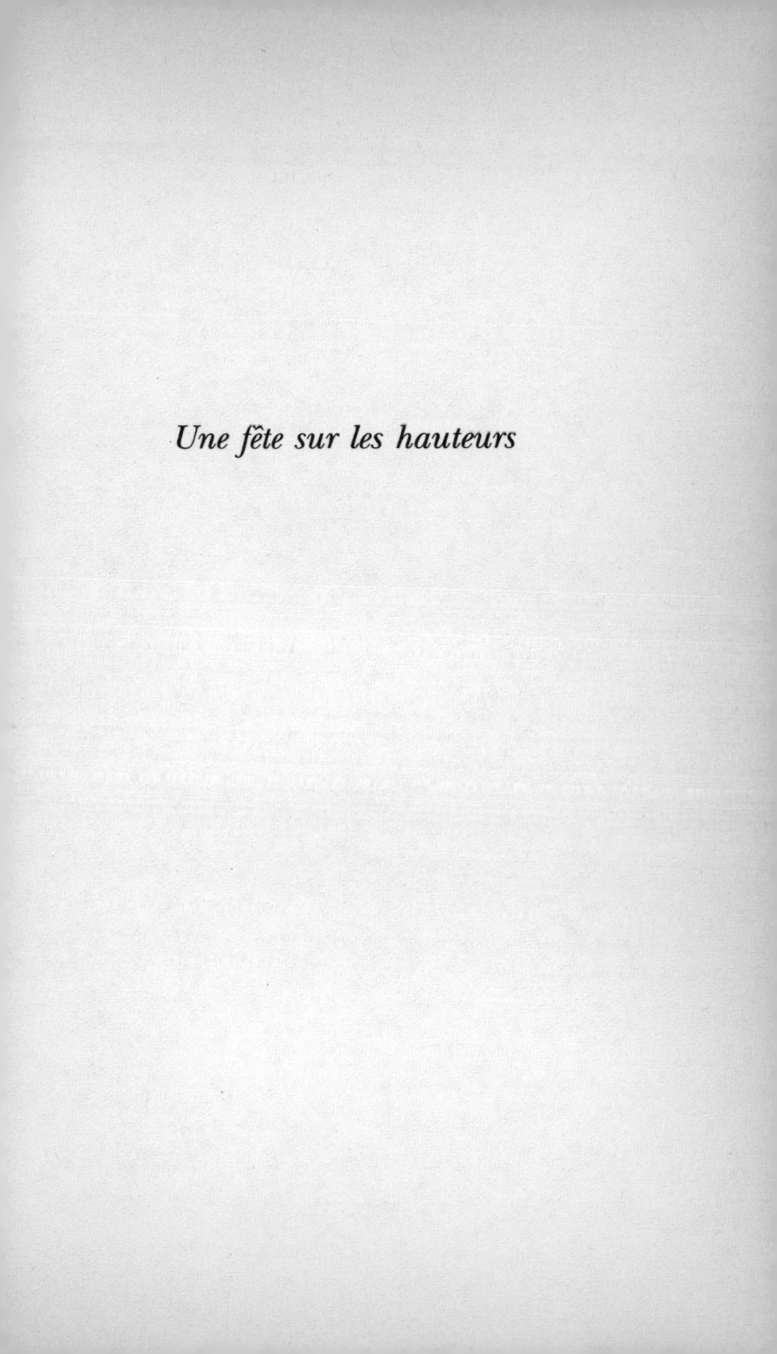

Une fête sur les hauteurs

Elle vous dit : la maison est sur les hauteurs, perdue dans les bois. Suivez-moi. Conduisez doucement car le chemin est mauvais. Elle est devant, seule dans sa voiture. Vous, vous êtes derrière, dans une autre voiture. La route c'est une route du midi de la France, l'heure c'est loin dans la nuit. Le ciel est noir et bleu. Une cendre bleuie avec des étoiles grésillant par-dessous, attisées par un vent insensé, violent, un vent fou furieux. Vous quittez bientôt la route pour un chemin en pente, un chemin de misère qui tutoie les étoiles. Enfin la maison, massive, serrée à ses flancs par les chiens du vent fou. Vous y entrez pour y trouver aussitôt une fraîcheur et une amitié. La fraîcheur c'est celle des vieilles pierres, des escaliers en bois, des pièces creuses et rondes comme un ventre, comme une fable. L'amitié c'est celle d'une parole, la parole de cette jeune femme qui vous donne asile pour cette nuit. Elle vous parle d'elle c'est-à-dire de ceux qu'elle aime. Nous sommes faits de cela, nous ne sommes faits que de ceux que nous aimons et de rien d'autre. Si retranchée soit notre vie, perdue sur les hauteurs brûlées de vent, elle n'est jamais si proche que dans une poignée de visages aimés, que dans cette pensée qui va vers eux, dans ce souffle d'eux à nous, de nous à eux. Elle parle et vous écoutez ce gravier d'étoiles crissant dedans sa voix. Vous êtes à plusieurs centaines de kilomètres de chez vous et pourtant vous êtes là, dans cette parole aimante, tranquillement aimante, doucement aimante, oui vous êtes dans ce genre de parole comme chez vous, sur vos terres. Elle est là votre maison — sans pierres, sans portes ni fenêtres, là, sur les hauteurs d'une parole battue d'amour, blanchie par un vent d'amour pur. Vous écoutez en regardant ces murs, ces objets et ces meubles. Vous ne bougez que peu de chez vous, et quand vous en sortez c'est pour être en proie à cet étonnement des autres, la vie des autres, leurs soucis, leurs attentes, comment ils mangent et de quoi ils meurent, comment ils travaillent et de quoi ils rêvent, ce qu'ils mettent dans leur maison et ce qu'ils en rejettent, comment ils font avec la vie qui passe, qui passe, qui passe. La maison de ce soir est simple, rude dans son apparence, on dirait une maison bâtie pour le vent, élevée pour le confort du vent qui siffle à travers les pierres, chante aux fenêtres, rôde comme un chat dans les couloirs. La jeune femme devine votre pensée. Elle vous dit : c'est vrai qu'elle est belle, cette maison. Elle a trouvé sa vraie beauté un soir d'été comme celui-ci, il y a bien longtemps, dans la pièce à côté. La mort était là, dans cette chambre, et au centre de la mort, ma mère, si vieille alors, si fatiguée. Un dernier effort et elle avait enfin touché au repos, ce repos dont nous ne savons rien que la frayeur qu'il nous donne, ce repos des mains à jamais vides et du cœur ouvert comme une noix sous la dent d'une bête. C'était ma mère qui était là, dormante dessous la vie, et ce n'était plus ma mère, je ne saurais trop vous expliquer. Ma mère c'était le fond de mon cœur — et voilà que le fond cédait et que mon cœur tombait, sans rien qui le retienne. Je croyais vaguement à Dieu, à l'époque. J'y croyais comme on croit au printemps devant la douceur d'un lilas, la délicatesse d'une lumière. Mais vous savez : on croit en Dieu quand ça va bien et quand ça va mal on ne croit plus à rien, on a peur, on est malade de peur, on cherche la sortie, vous comprenez, c'est ça, on cherche une issue, n'importe laquelle. Il ne faut pas se raconter d'histoire là-dessus, n'est-ce pas : personne ne croit vraiment en Dieu. Même le Christ a le visage trempé de sueur à l'approche de mourir. Vous voyez, je connais mon Évangile : « Oh Père, écartez de moi cette souffrance. » Allez dans les hôpitaux, écoutez le récit des guerres : ce n'est pas Dieu qu'ils appellent, les soldats en charpie sur les champs de bataille. Ce n'est pas Dieu qu'ils réclament, c'est leur mère. Et là, devant mon cœur en charpie, je ne pouvais appeler ma mère, ça n'aurait servi à rien de l'appeler. Imaginez : un corps immobile et autour, par ondes de plus en plus larges, de moins en moins silencieuses, la lumière d'un matin d'été, les paroles étouffées des adultes (nous étions nombreux ce jour-là, parents et amis en vacances) et enfin les rires des petits enfants, courant dans la maison comme au fond d'une forêt, se cachant et se trouvant, riant de se cacher dans les placards, hurlant d'être trouvés. Nous les laissions aller. Nous ne voulions pas de la tristesse des enfants — qui peut vouloir cela, d'ailleurs. Nous leur avons simplement dit : voilà, la chambre vous est ouverte, ce n'est pas une chambre interdite. Grand-mère vient de mourir. Elle restera ici deux jours, ensuite nous la mettrons en terre. Vous pouvez aller lui dire bonsoir. Si vous ne le souhaitez pas, ce n'est pas grave. Nous savons, nous, adultes, bien plus de choses que vous, mais devant ce qui vient d'arriver nous sommes ignorants, comme vous. Les enfants nous écoutaient, attentivement. Ils ne sont pas entrés dans la chambre au début. Nous, adultes, nous avons peur de la mort, presque aussi peur que de la vie. Et au début les enfants ont pris sur eux de cette peur, de cette gravité qui nous venait soudainement. Ils allaient dans la maison plus lentement, presque calmes. La belle fièvre des vacances ne les a pourtant pas quittés. L'après-midi ils sont sortis comme tous les jours. Et c'est en revenant que cela s'est passé : un retour éclaboussé de rires, de poursuites. Sept, huit enfants, le plus grand dix ans, la plus petite quatre ans, des bras chargés de fleurs des champs, des bleuets surtout, et les voilà qui se précipitent dans la chambre, ouvrent les volets, la petite fille grimpe sur le lit de la morte, les autres lui passent les bleuets et on dispose tout ça en désordre, et on reste longtemps, qui en tailleur sur le lit, qui allongé sur un tapis, on reste une demi-heure, une heure peut-être, à parler des jeux d'hier, de ceux à venir, puis on sort en chantant de la chambre, une légère caresse au visage pétrifié, et ainsi pendant deux jours : des milliers de pas entre les prés, le vent et le lit, des milliers de chemins entre les fleurs, le soleil et le visage enfoncé dans l'oreiller blanc. Même la nuit ils entraient dans la chambre, étouffant leurs rires pour ne pas nous réveiller. Nous nous gardions d'intervenir. C'était la seule intelligence que le chagrin nous laissait : ne surtout pas intervenir. Nous étions intimidés, oui, intimidés par cette noblesse des enfants, cette noblesse élémentaire de leur conduite, cette manière, pardonnez-moi de parler aussi lourdement, cette manière de rester auprès de Dieu, le Dieu ébouriffé des jeux d'été, jusqu'au plus noir de l'ombre. Nous les avons donc laissés inventer cette manière d'aller dans notre peine, cette manière d'y aller comme des étourneaux au ciel d'été, comme la vie dans la vie. Deux jours, ça a duré. Deux jours, deux nuits. Une fête. Une fête comme je n'en avais jamais vu, une fête qui ne salissait pas les larmes, qui n'empêchait pas la douleur, mais une vraie fête, quand même. C'est au deuxième jour que c'est arrivé. C'est la plus petite qui est venue vers nous. Les enfants avaient quitté la table depuis longtemps. Nous goûtions à cette paix des fins de repas, ce plaisir de parler de choses sérieuses, pauvrement sérieuses, frivolement sérieuses — la politique, le travail, vous voyez le genre — et la petite est venue, essoufflée, radieuse : venez vite, grand-mère est en train de sourire. Nous l'avons suivie et nous avons vu : le visage avait changé en deux jours. Il s'était simplifié, presque plus de rides et, au bord des lèvres, comme un fin sourire. Non : j'enlève le « comme » — un vrai sourire, à peine visible, certes, mais c'est toujours comme ça, l'invisible, toujours sur la pointe la plus légère, la plus frêle du visible, à peine perceptible, à hauteur d'enfant, jamais à hauteur d'adulte, jamais. Puis l'enterrement a eu lieu, et une semaine après c'était la fin des vacances. Cette histoire est vieille de cinq ans. Depuis cinq ans cette maison a trouvé sa vraie beauté, sa vraie place dans le vent, sous les étoiles. Depuis cinq ans le vent est ici comme chez lui. Chassé de partout, furieux d'être chassé de partout, il vient ici rejoindre sa paix, son repos, sa maison. Depuis ce jour où une tribu d'enfants a présidé aux funérailles d'une vieille femme, comme ils savent reconduire au ciel un moineau trouvé mort sur la route, avec cette grâce qui leur est propre, qui ne leur vient ni de leur entourage ni de rien de connu au monde, qui leur vient d'où — je me le demande, cinq ans après je me le demande encore.

J'espère que mon cœur tiendra,
sans craquelures

L'arbre est devant la maison, un géant dans la lumière d'automne. Vous êtes dans la maison, près de la fenêtre, vous lui tournez le dos. Vous ne vous retournez pas pour vérifier s'il est bien toujours là — on ne sait jamais avec ceux qu'on aime : vous négligez de les regarder un instant, et l'instant suivant ils ont disparu ou se sont assombris. Même les arbres ont leurs fugues, leurs humeurs infidèles. Mais celui-là, vous êtes sûr de lui, sûr de sa présence éclairante. Cet arbre est depuis peu de vos amis. Vous reconnaissez vos amis à ce qu'ils ne vous empêchent pas d'être seul, à ce qu'ils éclairent votre solitude sans l'interrompre. Oui, c'est à ça que vous reconnaissez l'amitié d'un homme, d'une femme ou d'un arbre comme celui-ci, gigantesque et discret. Aussi discret que gigantesque. Cet arbre est un des habitants du village où parfois vous passez quelques jours à ne rien faire, pas même écrire, surtout pas écrire, le village de Saint-Ondras, en Isère. Plus bas dans le village, devant une autre maison, se tient un autre arbre, aussi grand, plus désordonné dans son élan, avec lequel vous avez également une liaison. Un sapin. Vous avez sa photographie dans un portefeuille. C'est la seule image que vous emportiez avec vous. Parfois, dans le léger tourment d'un voyage, d'une absence, des gens vous montrent une photographie qu'ils sortent de leur portefeuille. Tenez, voici mes enfants, voici ma femme. Vous, vous n'auriez que cette image d'un sapin. Vous ne la montrez pas, à cause des paroles qu'il vous faudrait tenir : voici un arbre, ce n'est même pas le mien, c'est dans un jardin qui ne m'appartient pas, c'est un arbre et c'est le plus clair visage de celle qui a pris cette photographie : elle faisait la vaisselle dans la cuisine, elle a vu ça en levant la tête, en regardant par la fenêtre minuscule de la cuisine, elle a aussitôt pris cette image et elle me l'a envoyée, manière de dire voilà ce que j'ai vu aujourd'hui, à telle heure, dans telle émeute des lumières d'août, dans tel état de mon cœur aujourd'hui changé, aujourd'hui le même, voici le monde, voici mes yeux, à telle heure de tel jour. Ce sapin est dans vos relations depuis plusieurs années. L'autre arbre, celui de cette matinée, c'est plus récent. La première fois que vous l'avez vu, c'était l'été dernier. Vous aviez pris le thé dessous son feuillage. Un nuage d'ombre dans une tasse de thé. Aujourd'hui c'est la seconde rencontre, en automne. Il fait froid. Une vitre vous sépare. Une vitre ne suffit pas à vous séparer. Il y a une bienfaisance de cet arbre, une douceur de sa présence qui se diffuse dans la maison et qui a imprégné jusqu'au sommeil que vous y avez trouvé. Vous avez passé la nuit dans cette maison, vous repartez aujourd'hui. Quand vous descendez dans la cuisine, prendre le petit déjeuner, les deux autres habitantes sont levées depuis longtemps, elles ont déjà fait une promenade dans la campagne alentour. Elles reprennent une tasse de café, avec vous. En face, sur le mur, une peinture de Bonnard. La maison d'enfance du peintre n'était pas loin d'ici, au Grand-Lemps. Une des jeunes femmes en parle. Elle porte des vêtements dans les mêmes tons que cette peinture : des couleurs assourdies, des lumières couvant sous la cendre, des couleurs d'été ancien, d'amour perdue. Les armoiries du paradis. rose, lilas. Parler de peinture ce n'est pas comme parler de littérature. C'est beaucoup plus intéressant. Parler de peinture c'est très vite en finir avec la parole, très vite revenir au silence. Un peintre c'est quelqu'un qui essuie la vitre entre le monde et nous avec de la lumière, avec un chiffon de lumière imbibé de silence. Un peintre c'est quelqu'un qui nous envoie sans arrêt des photographies du monde. Beaucoup d'images, trop d'images pour les serrer toutes dans un portefeuille et les sortir de temps en temps : voici le monde comme il bat dans le cœur d'un inconnu. Voici le cœur d'un inconnu comme il bat dans mon cœur. Bonnard est mort en 1947. Sa dernière note dans son dernier carnet disait ceci : « J'espère que ma peinture tiendra, sans craquelures. Je voudrais arriver devant les jeunes peintres de l'an 2000 avec des ailes de papillon. » Sa dernière peinture était celle d'un amandier en fleur. Un dernier souffle, un ultime effort : allez, tout donner une dernière fois, tout fleurir d'un seul coup, partir sans regret, sans rien laisser au fond de soi. Il y a deux attitudes possibles devant la mort. Ce sont les mêmes attitudes que devant la vie. On peut les fuir dans une carrière, une pensée, des projets. Et on peut laisser faire — favoriser leur venue, célébrer leur passage. La mort dont nous ne savons rien posera sa main sur notre épaule dans le secret d'une chambre ou elle nous giflera dans la lumière du monde — c'est selon. Le mieux que nous puissions faire en attendant ce jour est de lui rendre sa tâche légère : qu'elle n'ait presque rien à prendre parce que nous aurions déjà presque tout donné. Qu'elle n'ait à tenir entre ses doigts que quelques fleurs d'amandier. C'est beau un amandier en fleur dans les yeux d'un agonisant, dans les mains d'un agonisant, dans le cœur d'un agonisant. C'est presque aussi beau qu'un grand arbre murmurant dans la vie simple à Saint-Ondras, saint endroit, en Isère. À présent c'est la seconde jeune femme qui parle. Elle raconte une histoire drôle par ses débuts. Une douleur à la main emmène cette femme chez un docteur. Il lui donne des ordonnances, beaucoup d'ordonnances, beaucoup d'injections à faire à la main malade, plusieurs fois par semaine. Des mois après il lui avoue que les piqûres ne servaient à rien, juste à s'assurer de son retour à elle, chez lui. Dans la seringue il n'y avait rien. Du vide, de l'absence. L'amour est venu comme ça, par cette ruse, au fil des rencontres, la passion d'elle pour lui, de lui pour elle : par des injections régulières d'absence, par des piqûres de vide. Comment l'amour pourrait-il venir autrement. Par là il est venu, par là il s'est enfui. Par le vide, par l'absence. Par la peur grandissante chez le médecin, peur de nuire à son foyer, à son image, à Dieu le père, à tout et rien. Il ne donne plus de nouvelles depuis quelques semaines. Elle en souffre d'une souffrance sans remède imaginable. Il y a un moment dans la peinture où le peintre sait que son tableau est fini. Pourquoi, il ne saurait le dire, simplement reconnaître son incapacité soudaine à y modifier quoi que ce soit. Le tableau et le peintre se séparent quand ils ne sont plus d'aucun secours, l'un pour l'autre. Quand le tableau ne sait plus nourrir le peintre, quand le peintre ne sait plus nourrir sa peinture. L'œuvre est achevée quand l'artiste est, devant elle, rendu à sa solitude entière. Bonnard retardait toujours ce moment. Pour l'amandier en fleur, de son lit de mourant, il indiquait à un ami une retouche à faire : un vert qui ne va pas, là, à gauche, recouvre-le d'un jaune d'or. Pour un autre tableau, exposé à Paris, loin de lui, il écrit et demande que l'on étouffe un oiseau vert sur la toile, qu'on le recouvre d'une couleur brune. Celle qui parle aujourd'hui est devant son amour comme le peintre devant son tableau — hésitant à finir, apportant des retouches, éloignant l'instant d'une solitude. Ses mots ne sont pas vraiment dits pour vous, pas vraiment pour elle-même, ils tournent dans la pièce et vont trouver refuge au-dehors, dans l'arbre ruisselant de lumière — un petit oiseau vert impossible à tuer. C'est maintenant avec l'attention d'un peintre que vous regardez cette femme, ses mains sur la table, ce silence dans ses yeux, ce cri de toutes les amoureuses : j'espère que mon cœur tiendra, sans craquelures. Je voudrais arriver devant mon amant de l'an 2000 avec des ailes de papillon.

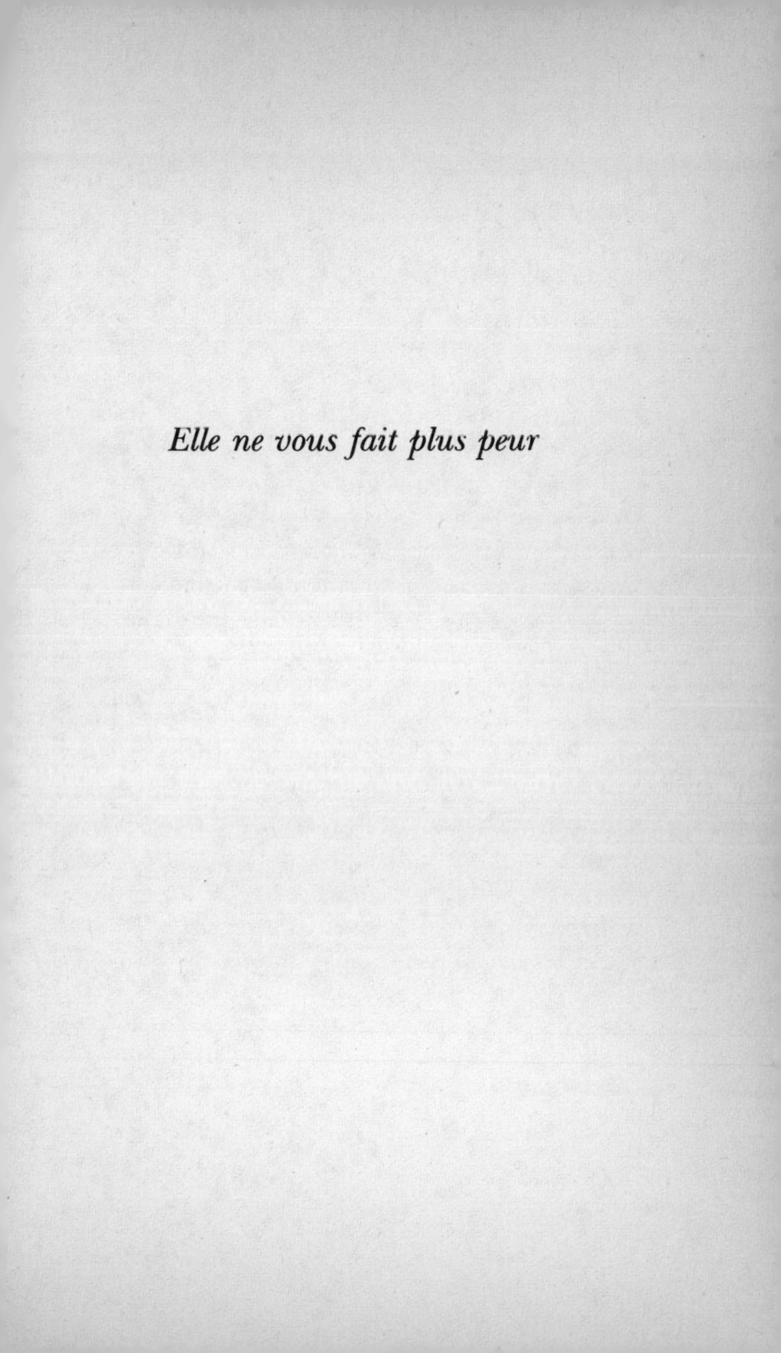

Elle ne vous fait plus peur

Elle ne vous fait plus peur. Elle est toujours dangereuse, imprévisible dans son calme. Mais la peur s'en est allée, la peur ne fait plus partie de sa substance profonde, impénétrable. La peur s'est défaite en une seconde. Évaporée, dissoute, partie comme peut venir la lassitude dans un amour : en un instant. En un instant pour toute la suite des temps. Jusqu'à ce jour, entre elle et vous, il y avait la peur. Elle était là comme une loi non écrite, souveraine dans le silence. Toutes les peurs viennent de l'enfance, pour la châtier, pour l'empêcher d'aller son cours. Tous les enfants connaissent la peur d'une connaissance intime, personnelle — mais pendant longtemps elle ne les atteint pas dans leur enfance. Ils la contournent, ils la frôlent et même ils jouent avec. Tu as peur des insectes et des uniformes, des mauvaises notes et des chiens, tu as peur des revenants. La peur est comme une avancée de l'âge adulte dans ton enfance. Elle a sa place, elle a ses heures, elle a ses lieux. Mais elle ne t'arrête pas. Tu tombes, tu as peur de tomber ce qui fait que tu tombes, puis tu te relèves, tu pleures et la seconde après tu éclates de rire. La joie est encore plus forte. Le goût de vivre pour vivre. La peur c'est la nuit, la joie c'est le jour. L'enfant compose avec la peur comme il compose avec la nuit, avec les ombres, avec l'insuffisance des parents, comme il compose avec tout. La peur est une donnée matérielle du monde, parmi des dizaines d'autres. Il faut savoir que la nuit noire accélère les battements du cœur rouge. Être seul dans un chagrin ou dans le vert d'une forêt, c'est effrayant. Il faut le savoir mais cela ne concerne pas l'esprit, le dedans, cela donne une information sur le monde — comme de savoir que le vent du nord est glacé, que la neige reste toujours en altitude sur les montagnes. Alors tu l'apprends et puis tu l'oublies, comme dans l'enfance on oublie aussitôt ce qu'on sait pour aller jouer un peu plus loin, pour continuer de perdre son temps, de jouir du grand bonheur de perdre son temps. C'est une chose que les parents ont du mal à comprendre, cette jouissance-là. Ne reste pas désœuvré, fais quelque chose, prends un livre. Même le jeu ils voudraient que ce soit éducatif — pas que pour jouer, pas que pour rien. C'est que les parents sont des adultes et que les adultes sont des gens qui ont peur, qui se soumettent à leur peur, qui la connaissent d'une connaissance servile, sombre. La peur n'est plus comme hier dans le monde, à certains endroits du monde, dans les dorures d'une légende ou dans les recoins d'une rue. Elle est maintenant dans l'esprit des adultes. Dans le sang de leur sang, dans le cœur de leur cœur. Elle les mène de part en part, elle est enfin venue à bout de l'enfance infatigable. Elle fait les mariages tristes — par peur de la solitude. Elle fait les travaux de force — par peur de la pauvreté. Elle fait les vies absentes — par peur de la mort. Quand elle descend sur l'enfance, la peur s'évapore aussitôt. Quand elle descend sur les adultes, elle reste, elle s'entasse. On dirait de la neige, une neige qui ne tomberait pas sur le monde mais sur l'esprit. La peur qui entre dans un cœur adulte rejoint la peur qui y était déjà. Elle s'effondre en elle-même, elle s'ajoute à elle-même comme de la neige grise. Alors tu ne bouges plus. Alors tu t'interdis de bouger sous la neige sale, tu ne sors plus de chez toi, de ton mariage, de ton travail, de tes soucis. En resserrant ta vie tu cherches à diminuer le champ de la peur, à ralentir l'avalanche grise. Tu es comme ces animaux soudain pétrifiés par le bruit du vent dans les branches, incapables d'aucun mouvement, empêchés d'aller plus loin qu'eux-mêmes. Comment sortir d'une telle misère. Comment sortir de ce dans quoi on ne se sou-

vient pas être entré. L'enfance n'a ni début ni fin. L'enfance est le milieu de tout. Comment rejoindre le milieu de tout. [illegible] votre volonté. Cela se f[illegible] grâce d'un amour plus rapide [illegible] plus rapide que votre peur ou que le bruit du vent dans les branches. Oui, c'est comme ça que vous êtes enfin venu à elle, après longtemps d'attente, longtemps de peur. D'un seul coup. D'un jour au jour suivant. Et maintenant vous ne savez plus vous passer d'elle. On vous dit : tu sais, tu ne devrais pas aller si loin, elle peut tuer quand même. Mais vous ne le croyez plus, ou plutôt vous répondez : qu'elle fasse ce qu'elle veut de moi. Ses jouissances sont trop grandes pour que je les quitte. Comment ai-je pu passer autant d'étés sans elle. Tant d'heures blanches et bleues, loin d'elle. Bien sûr il y avait les livres. La lecture est ce qui lui ressemble le plus. D'ailleurs vous vous approchez d'elle avec une poignée de livres — que vous n'ouvrirez pas. Elle est si adorable, tellement plus adorable que les plus beaux des livres. Cet été-là vous allez la voir tous les jours, vers la fin de l'après-midi. Vous dites, bon, je vais me baigner. Mais il serait plus juste de dire : excusez-moi, j'ai rendez-vous, j'ai rendez-vous avec l'eau, avant je la craignais, à présent je ne désire plus qu'elle, elle est comme une femme, vous comprenez, et même un peu mieux qu'une femme, oui nettement mieux. Plusieurs chemins mènent à votre amour. Vous pouvez suivre un canal rempli d'ombre ou traverser une campagne creusée de lumière. D'où que vous arriviez, c'est le bonheur : l'immensité de l'étang, là, à deux pas. Long, mince, entouré d'arbres. Une eau même pas jolie, parfois terreuse. Vous y entrez sans précaution, vous filez droit au cœur, droit au milieu de l'étang, à égale distance de deux rives. Le visage à peine tendu vers le ciel, le corps glissant sous l'eau comme sous une soie légère. La peur n'est plus là. Elle est partie avec la pensée. La pensée n'est plus dans votre esprit. Elle n'est plus dedans mais dehors : vous allez dans l'eau comme dans une pensée qui se penserait toute seule, d'elle-même, sans vous. Vous nagez longtemps dans la pensée extérieure, dans l'eau du monde. Longtemps l'esprit vide, le corps sans pesanteur. Quand vous sortez de l'eau, ce n'est pas pour la quitter mais pour la contempler encore mieux, de plus loin, de ce regard apaisé qui succède à l'amour. Regarder comment elle prend la lumière, comment elle change avec le mouvement imperceptible des heures, comment elle réagit aux plus secrètes humeurs du ciel. Cet étang, vous le connaissiez dans l'enfance. Puis vous l'aviez oublié. Depuis vous aviez, avec l'été, un problème : vous ne saviez pas quoi en faire. Vous étiez devant l'été, devant les vacances, comme devant le mariage, comme devant un travail : sachant comment cela fonctionne, ignorant à quoi ça sert. Maintenant vous savez : l'été, ça ne sert à rien — comme l'amour, comme la joie. Vous ne trouvez plus le temps de lire, d'écrire, de répondre aux invitations. Vous ne pensez plus qu'à l'eau. Quand elle est là vous vous y perdez. Quand elle n'est plus là vous attendez l'instant de la revoir. Ce serait comme une histoire d'amour, sauf qu'il n'y aurait pas d'histoire. Mais l'amour est bien là. Il n'a pas de forme, il n'a pas de visage, il n'a pas de nom. Mais il est bien là. Il est venu comme arrive tout amour, après la fin des temps — fin de la mort, fin de la peur.

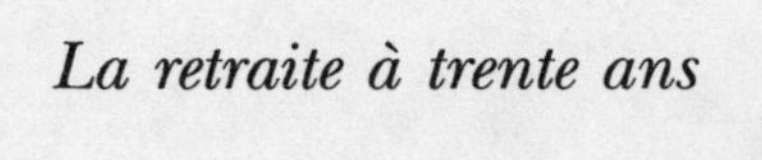

La retraite à trente ans

Ce serait l'histoire de deux lumières. Deux lumières matérielles — le jaune des ampoules et le blanc d'un néon. Alentour, la nuit, rien d'autre que la nuit. La nuit matérielle : les corps au fond des lits, les voitures sur les parkings, les animaux dans les forêts. Oui vous pourriez commencer ainsi cette histoire, vous pourriez la commencer par la fin : la confusion des deux lumières, séparées dans l'espace, séparées dans le temps, incendiant la même part de votre esprit. Et d'abord la première lumière, celle du néon. Elle est déjà vieille de plusieurs années. Elle revient avec chaque fin d'automne et se prolonge jusqu'en mars. Depuis des années le même néon grésillant, la même blancheur laiteuse arrachant au noir de nuit la même baie vitrée, avec la même silhouette debout, au milieu de la baie. Vous passez là avec des enfants ou bien tout seul, là, devant le centre pour handicapés mentaux. Un ensemble de maisons basses, éparpillées au fond d'une pelouse verte. Le jour, ce qui vous étonne le plus, c'est ce vert, cette herbe rase qui appelle la sécheresse, ce désespoir de la vue. Une eau verte et maigre d'ennui. Une désespérance étale, aplanie, un filet de résignation verte. L'herbe est toujours à la même hauteur. Jamais elle ne va dans la démesure, vers la belle folie des jardins d'enfance. Jamais non plus elle ne meurt, ne part en plaques noircies. Un jardinier doit sans doute s'en occuper. Un jardinier doit être prévu pour prendre en charge l'herbe infirme, de même qu'il est prévu un certain nombre de personnes pour prendre en charge les handicapés. Que rien ne soit ni trop sec ni trop haut. Que rien ne meure et que rien ne vive. De l'extérieur on dit souvent : quel dévouement. Comme cela doit être dur de s'occuper de ces gens-là. Moi, à votre place... On pourrait dire la même chose au jardinier : comme cela doit être dur de s'occuper de cette herbe-là. Un vert aussi régulier, un vert aussi désespérément vert. Quel dévouement, quelle rectitude dans l'ennui, quelle fidélité dans la lassitude. Moi, à votre place... Mais il y a encore quelque chose à dire sur ce vert. Oui il y a à dire cette chose-là : cette étendue verte, vous l'avez déjà vue ailleurs. La même. La même mélancolie verte, la même couleur des solitudes, autour des maisons de propriétaires. Un tout petit enclos de vert autour des familles. Avec les beaux jours revient l'enfer des tondeuses. Le mari héroïquement passe la tondeuse, content de lui, fier de prendre sa part du devoir familial, de changer en vacarme l'insatisfaction d'une semaine de travail. La couleur verte, en peinture, s'obtient par un mélange de bleu et de jaune. La couleur verte des pelouses privées n'est mélangée ni de bleu ni de jaune — mais de gris et de noir. Le gris d'une semaine de travail, le noir du dimanche qui n'est jamais un dimanche, qui n'est que la veille d'une autre semaine de travail. Encore. Encore une chose à dire sur ce vert : ce vert apprivoisé, cette fermeture verte, vous la trouvez encore devant les grandes demeures bourgeoises, derrière les grilles des hôtels particuliers. Là aussi beaucoup de pelouse, une énorme quantité de vert sage. Autour de la misère mentale et autour de la puissance financière. Là où l'esprit manque comme là où l'argent surabonde : pelouses. Claires et vertes pelouses confiées aux mains expertes d'un jardinier. Les soirs d'hiver, lorsque vous passez devant le centre d'handicapés, vous ne voyez plus la pelouse. Elle se repose dans le noir. Elle est revenue à sa noirceur d'origine. Elle a fini son travail qui est de désespérer la vue, de dissuader d'entrer, de faire un seul pas sur la désolation verte pour aller voir de près ceux qui boitent dans leur esprit, ou ceux qui dorment sur leur argent. Le soir plus rien du centre n'est visible, que cette baie en face de l'entrée et celui qui se tient debout sous la douche de lumière, sous la pâleur du néon. Pendant des heures il reste là. Un gros homme en pyjama, les deux bras repliés sur sa poitrine. Debout, tourné vers le dehors, des heures après le dîner — toujours servi très tôt dans ces endroits comme dans tous les hôpitaux du monde, pour la commodité du personnel. Entre l'heure du repas et l'heure du sommeil, une étendue sombre, une grande pelouse de temps. Là, entre manger et dormir, sous la lumière électrique, un homme en pyjama, debout. Il se balance d'un pied sur l'autre, des heures. Gros homme derrière la baie vitrée, silhouette de papier noir sur fond laiteux. Énorme enfant enveloppé dans lui-même par ses bras, se donnant à lui-même la berceuse nécessaire pour aller du repas au sommeil, le courage nécessaire pour aller de cette minute-là à la minute suivante. C'est tout. Après le vert mauvais des herbes, c'est tout ce que vous pouvez voir du centre pour handicapés : ce balancement d'un pied sur l'autre sous la lune d'un néon. Les années passent. L'image revient. C'est comme un rendez-vous : le gros homme en pyjama et ce mouvement du corps, une fois sur le pied droit, une fois sur le pied gauche. Des heures. Des heures, des automnes, des hivers. Enfin un jour vous entrez dans le centre. Vous y entrez de la meilleure façon qui soit : sans prévenir, sans être prévenu. Vous y entrez par la voix de celle qui vous parle. Celle qui vous parle est en miettes. Elle travaille dans le centre. Elle n'est pas en miettes en raison de son travail. Elle vous en parle peu, juste pour dire que les handicapés mentaux peuvent être parfois méchants, et ce propos vous rassure, comme s'il ramenait l'étrangeté des malades à une légère différence à l'intérieur de l'espèce humaine — à l'intérieur et non au-dehors. Comme si la capacité de méchanceté était le signe d'une appartenance à une même communauté, à un seul monde. Mais parler de son travail l'ennuie. Ce ne sont pas ces heures dans les bâtiments rongés de vert qui l'ont réduite en miettes, en poussière, en cendres. C'est une seule histoire d'amour, une histoire que vous écoutez sans l'interrompre, l'histoire de l'autre lumière — celle des ampoules. Celle qui vous parle est mariée, elle a des enfants. Les enfants vous les voyez — pas le mari. C'est une maladie chez vous, une infirmité de la vue : jamais dans un couple vous ne voyez le couple. Vous n'arrivez jamais à voir jusqu'à deux. Vous voyez un plus un, jamais l'ensemble que cela fait. Il y a chez vous une répulsion enfantine pour toute société — et la société commence avec deux, avec des paroles désastreuses de ce genre : mon mari et moi nous pensons que. Ma femme et moi nous avons l'habitude de. Ce sont plutôt les femmes qui veulent le mariage. Elles le veulent d'une volonté absolue, folle. L'homme le subit, on dirait. Il y entre comme on entre dans un nouvel emploi. Il en apprend les règles comme un enfant apprend ses leçons, en râlant. C'est parce qu'il attend peu du mariage que l'homme n'en désespère pas et qu'il ne voudra plus en sortir même en cas de faillite — comme on tient à un emploi qui ne vous donne plus de plaisir mais assure toujours vos fins de mois. Les femmes, c'est différent. Les hommes c'est comme tout le monde, les femmes c'est comme personne. L'histoire de celle qui vous parle est simple, en apparence. C'est l'histoire de sa passion à elle pour un autre. Il travaille à ses côtés dans le centre pour handicapés. Pendant des mois il n'y a rien. Puis un jour il y a tout. Pourquoi ce jour, pourquoi pas la veille, le lendemain ou jamais, c'est inexplicable. Elle ne cherche d'ailleurs pas à expliquer. Le ravissement contient en lui-même sa propre intelligence. L'obscur de la jouissance passe toutes lumières. Au début elle ment avec les horaires. Elle rentre de plus en plus tard à la maison. Elle passe des morceaux de nuit auprès de l'autre. Puis elle parle au mari. Elle raconte ce qui se passe — la vitesse d'un événement sur lequel elle n'a plus prise. Elle songe à un départ, au divorce. L'histoire invisible commence là. Invisible, à ciel ouvert. Le mari ne fait et ne dit absolument rien. Pas de cris ni de plaintes. Pas la maladie des insultes ou celle des mélancolies. Chaque soir il allume toutes les lampes de la maison. Il attend. Il attend dans la maison illuminée. Elle revient dans le milieu de la nuit. Elle le rejoint dans la chambre, s'allonge à ses côtés et pleure — longtemps, sans bruit. L'histoire dure un siècle puis s'arrête. L'autre la quitte. Il la quitte mais demeure toujours là. Ils sont toujours dans le même pavillon cerclé de vert, ils s'occupent des mêmes gens aux mêmes heures, tous les jours. On a inventé le travail salarié pour ne pas penser à ce qui fait souffrir, pour qu'il y ait, revenant tous les jours, ces heures où ne pas penser à soi, à la solitude, à Dieu, à l'autre, pour ne pas penser à tout ce qu'on devine insoluble, déchirant. Et là, plus d'issue. La passion demeure. Elle a tourné en haine mais elle est encore là, intacte. Elle le dit en souriant : je n'ai plus de place. Ni là-bas dans le centre, ni ici dans cette maison. Là-bas j'ai tout perdu, ici on m'offre tout. Mais c'est autre chose que je veux — autre chose qu'un mari ou qu'un amant. Dans les histoires d'amour il n'y a que des histoires, jamais d'amour. Si je regarde autour de moi, qu'est-ce que je vois : des morts ou des blessés. Des couples qui prennent leur retraite à trente ans ou des couples qui font carrière dans la souffrance. Rien de tout ça ne m'intéresse — ni l'endormissement dans la maison, ni l'insomnie au-dehors. Qu'est-ce que j'attends. Je ne sais pas. Peut-être rien. C'est très difficile à obtenir, rien. Quand vous êtes petit on vous fait une promesse. La promesse c'est la vie. Alors pourquoi on ne la tient pas, alors pourquoi j'espère encore qu'on la tienne, cette promesse. Je ne me résignerai jamais, je ne prendrai jamais ma retraite. Je ne sors plus la nuit mais je ne suis pas rentrée pour autant. Mon mari le sait. Il continue d'attendre, il continue de dépenser les lumières. Personne ne m'aura aidée comme lui. Mais que peut la gentillesse contre le désespoir. Elle vous dit encore combien elle se sent lasse, fatiguée d'elle-même et de tout. Elle évoque une mort, un départ ou un nouvel amour comme on évoquerait de proches vacances à l'étranger, en hésitant sur le lieu de villégiature. Enfin elle rit d'elle-même, se lève, met un disque, un concerto de Vivaldi. Vous écoutez avec elle les crépitements du son, la poussière de chant fluide. C'est une musique qui va avec la nuit sur les villes et dans l'âme, une musique qui fait la nuit douce et profonde, une nuit mauve avec seulement deux lumières vives, un pavillon dans le centre, une maison dans la ville, deux images qui se rassemblent et se fondent, une seule lueur dans toute l'étendue noire, l'incendie de la vie impossible et ce remède pour l'éteindre, cet unique geste : ce balancement d'un pied sur l'autre, cette douceur monotone accordée à soi-même par soi-même, cet enveloppement de soi-même dans soi-même, cette berceuse du cœur infirme au cœur infirme.

Mina

Vous aviez déjà écrit un texte sur elle. Vous le lui aviez montré et puis vous l'aviez jeté. Manqué. Le portrait était manqué, il n'y avait rien à en sauver. Vous vouliez trop ce texte et la volonté ne va pas avec l'écriture, pas plus qu'avec l'amour. On ne dit pas : « je voudrais vous aimer ». On dit : « je vous aime » et, le disant, on découvre un amour bien plus profond que tout vouloir. À l'école on vous a appris des choses. Dans la famille aussi. Mais les choses importantes, vous avez dû les apprendre seul, en bégayant, en tâtonnant, par exemple celle-ci : la misère d'une volonté qui ne s'appuierait que sur elle-même, la folie d'une vie bâtie comme une forteresse. Ces gens à certitude et volonté, ces gens de principe étranglés au lacet de leur vie, vous les avez toujours fuis. Le temps d'écrire ce texte, vous étiez devenu semblable à eux, vous étiez devenu un écrivain professionnel, quelqu'un qui sait faire les choses et qui, ne croyant plus qu'à ce savoir, ne laisse plus entrer dans son cœur l'inconnu de toutes choses — ce qui en elles est réfractaire à l'emprise de notre volonté. Le professionnalisme est une maladie qui vient aux gens par leur métier, par la maîtrise qu'ils en ont, qui les asservit. Si vous vouliez ce portrait d'elle, c'était pour attraper un peu de sa lumière, et parce que vous ne voyez aucune autre raison d'écrire : toute présence a sa grâce singulière, attendant d'être dite. Maintenant que l'impatience vous a quitté, vous pouvez reprendre le tableau défait. Maintenant que la toile est vierge, vous pouvez y revenir comme le peintre à sa besogne. Ce qu'elle vient de vous confier en dix secondes suffit : le reste était faux — visible, certain et pourtant faux puisque sans conséquence sur sa vie. Pour qu'une chose soit vraie il faut qu'en plus d'être vraie elle entre dans notre vie. Or tout ce qu'elle avait vécu s'était passé en son absence, loin d'elle. C'est une chose qui arrive souvent : on peut rester dix ans célibataire dans un mariage. On peut parler des heures sans dire un mot. On peut coucher avec la terre entière et rester vierge. Il y a eu d'ailleurs un moment de sa vie, six mois, un an, où elle avait couché avec la terre entière et ce moment, comme les autres, avait été sans conséquence. Elle faisait venir les hommes chez elle, ou elle allait chez eux. Avant de se déshabiller elle exigeait l'argent. Elle vous en parle comme d'un travail intérimaire, un remplacement : cela ne m'a rien appris sur les hommes ni sur moi. Ce que cela m'a appris, je le savais déjà. Cela n'a pas existé, six mois, un an pour rien. Et elle éclate de rire. Voilà, une bonne chose de faite : tout écarté, tout effacé de la première peinture, du premier texte, vous pouvez écrire le second avec ces dix secondes hier au téléphone, en passant : « Ma première poupée s'appelait Mina. » Vous ne savez pas qui est Mina, elle vous explique : c'est le nom de la fiancée de Dracula. À cinq ans elle avait donné ce nom à sa poupée, après que son père lui eut raconté l'histoire de Dracula qui tue la nuit et dort le jour, l'histoire du grand professionnel des ombres, empêché de mourir, incapable de vivre. Et elle ajoute : mon père me racontait tous les livres — les fables, Homère, Shakespeare et toute la bande. Les adultes, quand ils s'adressent à un enfant, forcent la voix. Ils enlèvent l'obscur et le secret de leur parole. Ils disent les loups et les orages, les ogres et les sources, mais ils taisent le reste : les intérêts, les mensonges, la fatigue. Le goût puissant du meurtre au fond de l'âme et cette espérance plus puissante encore d'un amour pur. Mon père savait que je savais tout. Le cœur est lent à croître. L'esprit est dès le début à son plus haut. Le cœur met un temps considérable à grandir. L'esprit est immédiatement au sommet de sa fleur. Si l'on doit avec les enfants agir avec une douceur extrême, on peut tout leur confier, même ce qu'on ne sait pas dire. Mon père venait le soir dans les lisières de ma fatigue, il s'asseyait au bord du lit et il me racontait le monde : le Chaperon rouge et Dracula, Ulysse et Ophélie, Hamlet et Cendrillon, Don Quichotte et Blanche-Neige. Chaque soir un livre, bien avant que je sache lire. Ce qu'elle vous dit là éclaire et compose le tableau que vous aviez échoué à faire : l'enfance à Bordeaux, ville majestueuse et funèbre, l'arrivée à Paris, le premier mariage puis le second, la prostitution et la rencontre avec les brillants esprits de la capitale, tout était passé comme dans un rêve, jusqu'à la découverte d'un cancer caché dans son sein comme un trésor. Jusqu'à ce jour récent rien n'avait pu toucher à la clarté des débuts, au feu couvant de la voix bien-aimée sur un cœur de cinq ans : « Ferme les yeux Mina, ne dis plus rien, écoute la rumeur d'un galop dans ton cœur, c'est un cheval petit et fier, infatigable, il porte sur son dos un messager, c'est de toi qu'il est parti à l'aube et c'est vers toi qu'il s'avance, écoute Mina le vent qui serre son manteau et rougit ses mains blanches, écoute le grondement de lumière rouge, Hamlet et son crâne, Barbe-Bleue et ses clefs, Ulysse et son arc, écoute cet empêchement de vivre qu'il y a dans la vie, cette douceur mortelle qu'il y a dans le songe, prends soin de toi Mina chérie, prends soin de toi. » Celle de cinq ans avait grandi depuis et continué à chercher l'or dans la parole des intellectuels comme sur le visage des hommes abêtis par une chose aussi faible que la vue d'une femme nue. Qu'est-ce que nous aimons dans ceux que nous aimons ? Nous croyons les aimer eux-mêmes, mais qu'est-ce que c'est : « eux-mêmes » ? Où s'arrête la personne, ses contours, ses limites, où commence ce qui en elle est bien plus qu'elle, la douleur dans sa voix, l'innocence dans ses yeux ? La grâce que vous reconnaissiez à celle-là lui venait de cet amour donné à ses cinq ans — comme on reconnaît dans la beauté d'une fleur l'éclat des pluies qui l'ont grondée. Quarante ans étaient passés depuis. Quarante et cinq font quarante-cinq. Au centre du tableau, une femme de quarante-cinq ans. En retrait sur la droite le petit tas de cendres des maris, des amants et des livres. Dans ses bras une poupée. Dans la bouche de la poupée une parole imprononçable. Je m'appelle Ophélie, j'ai aujourd'hui quarante-cinq ans, je sors d'un cancer, les médecins ont été très gentils avec moi, ils m'ont enlevé mes vêtements, mes cheveux et mon sourire d'eau claire, ils m'ont assuré que je retrouverais bientôt ces choses, je ne sais s'ils disent vrai, les médecins sont comme les adultes quand ils parlent aux enfants, ils vous parlent pour que vous n'entendiez pas, ce qui fait que vous entendez trop. Je m'appelle Blanche-Neige, j'ai aujourd'hui quarante-cinq ans, je me suis longtemps perdue dans l'épaisseur du monde, ceux qui m'ont aimée m'ont rendue invisible et légère, bien trop légère pour être heureuse. Je m'appelle Cendrillon, j'ai aujourd'hui quarante-cinq ans, j'ai le cœur barbouillé d'avoir mangé toutes sortes de nourritures, on ne m'a jamais appris à séparer le sucré du salé, la chair et l'âme, la vie et le rêve, les hommes qui partageaient mes repas s'en sont mieux sortis, les hommes s'en sortent toujours mieux, peut-être qu'ils ne goûtent que du bout des lèvres. Je m'appelle Mina, j'ai aujourd'hui quarante-cinq ans, je suis née à Bordeaux et je suis morte à Paris, à présent ça va mieux, je me repose et je redécouvre le monde peu à peu, mon père n'est plus là pour me dire mais je me débrouillerai bien toute seule, j'ai compris l'essentiel, il y a ce qu'on vous raconte et il y a la manière dont on vous le raconte, c'est la manière qui fait la différence, c'est la manière qui seule importe, ceux qui m'ont dit « je vous aime » ne savaient pas ce qu'ils disaient et le disaient mal. Il y avait Shakespeare et mon père dans ma chambre d'enfant, Shakespeare qui disait que la vie est une histoire pleine de bruit et de fureur racontée par un idiot, et mon père qui lisait

Shakespeare, je n'écoutais pas l'histoire, j'écoutais la voix, le triomphe de cette voix dans la capitale de mon cœur, la voix était vraie, la voix sans mots disait le vrai de vivre, la voix d'amour douce et nocturne. La médecine a brûlé des tissus de mon sein et tous les livres de ma bibliothèque, elle n'a rien pu contre la voix confiante et claire. Je m'en tiens là, je m'en tiens à cet amour donné une fois pour toutes au cœur d'une petite fille. Je lis beaucoup moins de livres mais c'est sans importance : j'ai compris d'où ils viennent. J'ai compris le minuscule grain de vérité qu'ils ont. Les fables disent le vrai sur l'amour, j'ai compris ce qu'elles disent, cela repose dans une seule phrase, si j'étais philosophe je l'écrirais ainsi : ce qui nous sauve ne nous protège de rien et pourtant cela nous sauve. Mais comme je n'ai jamais cherché la vérité en philosophe, plutôt en musicienne, comme j'ai depuis mes cinq ans donné mon attention au grain de la voix plus qu'aux mots soulevés par cette voix, je la dirai ainsi cette phrase, la même : prends soin de toi, petite, prends soin de toi, amour.

Je me suis levée
au milieu du repas

Elle appelle à neuf heures du soir. Vous hésitez quelques instants avant de répondre : toujours cette crainte du téléphone, toujours cette hantise d'une invasion. On ne peut rien dire au téléphone. On ne peut rien y entendre qu'un simple grésillement — ou bien l'annonce d'un accident, la nouvelle d'un chagrin. Par le téléphone ne passe que l'anodin ou le tragique, le bavardage indéfini ou la mort abrupte. Entre les deux, rien. Quelqu'un à qui vous confiez un jour votre répugnance pour cette parole-là, assourdissante, vous répond en souriant : mais voyons, quelle naïveté, quel manque de sens. Regardez dans l'industrie : rien ne s'y décide qui ne passe par le téléphone. Il serait insensé d'écrire des lettres pour traiter une affaire. Regardez autour de vous, que diable : plus de chevaux sur les routes. Plus de messagers qui filent vers la grande ville, un parchemin serré sous leur manteau. Vous écoutez, souriant à votre tour, muet. L'esprit de repartie vous a toujours fait grand défaut, et c'est une semaine après cette conversation que vous trouvez la bonne réponse : si on peut négocier un contrat, donner de ses nouvelles ou passer une commande, si on peut faire tout cela au téléphone, il y a au moins une chose qui n'est pas possible, et cette chose impossible est pour vous la seule nécessaire, la seule indispensable dans la vie : une lettre d'amour. On ne peut pas écrire une lettre d'amour au téléphone. Ce n'est pas que la voix ne suffise pas, c'est au contraire qu'elle est de trop. On ne peut bien parler d'amour que dans le plus grand retrait, dans le manque de souffle et de tout. Hier on savait cela, hier au douzième siècle. On le savait par cœur quand on chantait *l'amour de loin*, la reine absente. Le lointain fait venir la douceur. L'absence apprivoise le proche. Aujourd'hui les femmes le savent encore, qui parlent d'amour à leur ombre, à leur miroir ou à leur robe — jamais à celui pour qui brûlent toutes ces lumières, toutes ces grandes herbes coupées dans son absence. La parole amoureuse est parole évanouie. On ne peut ni la dire ni l'entendre, et quand cela se fait il ne s'agit pas de l'amour qui danse mais de l'amour qui raisonne, il s'agit d'un contrat d'affaires amoureuses, un simple grésillement, un pauvre ressassement, entre bavarder et mourir. Non, pas moyen de parler au téléphone — ou bien alors comme elle, ce soir-là : bégayant, hésitant, retenant des larmes entre chaque mot. Elle vous appelle souvent, pour vous parler d'un livre ou d'un enfant. Elle élève des enfants de tous âges, elle dévore des écrits de tous ciels. Beaucoup de livres de poésie allemande. Elle en a traduit quelques-uns, les ramenant par amour au plus près de sa voix, dans le berceau de son souffle, dans le canton d'une langue natale. Ce soir elle ne veut pas vous entretenir d'un livre mais de celui qui fait les livres, un écrivain, ce genre particulier d'écrivains que sont les philosophes. La passion des idées est une passion enfantine, coléreuse. Les philosophes sont comme ces enfants en bas âge, exerçant la puissance de leur désir dans l'assemblage de cubes colorés, larges comme leurs mains. Élevant, bâtissant puis effondrant tout d'un revers de la main. Moi d'abord, crie l'enfant de deux ans, dressant la muraille de ses cubes. Moi partout, murmure le penseur, élevant jusqu'au ciel le bonheur d'une formule. Mais celui-là dont elle vous parle, celui-là vient de mourir et ne dit plus ce genre de choses, et ne le disait plus depuis longtemps, depuis cette nuit où il avait étranglé sa femme de ses mains longues, de ces mêmes mains qui allaient sur la page blanche, qui ouvraient les livres précieux. Cette histoire vous la connaissiez. Elle avait affleuré en surface des journaux, trois lignes sur un brillant intellectuel, un des soleils de sa génération — et l'éclipse soudaine, la nuit privée d'étoiles. La médecine avait devancé la loi. Le diagnostic avait empêché tout jugement : dépression grave, irresponsabilité. Dix années suivaient. Dix ans de réclusion dans un hôpital puis dans une maison de retraite, et le silence partout, le grillage du silence aux fenêtres. Dans les journaux le monde est ordonné. La page des faits divers est le tombeau des pauvres. Il est rare d'y voir entrer un intellectuel. L'intellectuel n'est jamais pauvre même quand il est désargenté. Le riche se reconnaît au coupé de ses vêtements. L'intellectuel se distingue au tombé de sa parole. La parole comme l'argent fait l'aisance. La parole, plus que l'argent, fait l'aisance. Qui tient le verbe tient le monde. Regardez les vêtements des pauvres. Regardez les souliers des pauvres. Regardez les maisons des pauvres. Vous aurez beau regarder, vous ne connaîtrez rien de la pauvreté tant que vous n'aurez pas vu le visage des pauvres devant la parole de ceux qui savent, décident et jugent. Les pauvres n'entendent rien à ce que leur disent leurs maîtres. Ils devinent simplement que cette parole sûre d'elle leur vole le monde, que cette parole somptueuse et l'injustice qui leur est faite ont partie liée, profondément liée. Ce n'est pas le savoir qui est en question — c'est cette splendeur morbide d'une parole soucieuse d'elle-même et d'elle-même uniquement, cette horreur d'une parole qui va seule dans son aisance, et la vie abandonnée pardessous. Cette manière de parler sans jamais se risquer dans sa parole, les rois l'avaient menée à son extrême, ne parlant d'eux qu'à la première personne du pluriel : nous décidons que. Nous ordonnons que. Cette distance insensée entre la personne et ce qu'elle dit est source de toute emprise sur le monde et de toute ruine de l'âme. Vous aviez déjà rencontré des philosophes et souvent perçu chez eux cet abîme entre une parole opulente et la maigreur d'une vie par en dessous privée d'air. Ce qui vous avait surpris dans la lecture du journal, ce n'était tant d'apprendre la faillite du philosophe que de découvrir la violence de sa ruine : un ressort longtemps tendu qui lâche d'un seul coup, écrasant les livres, le songe et la vie. C'est la suite de l'histoire qu'elle vous raconte ce soir au téléphone — les années d'abandon, la gêne des collègues, la désertion des amis, le deuil empêché. Elle le rencontre plusieurs fois dans son désert. Un jour il vient manger chez elle. Calme, très calme, un visage passé à l'encre, des yeux cernés de pluie et la douceur dans la voix — l'immense douceur de celui qui aurait préféré le châtiment à la mélancolie, la cellule aux calmants, l'immense douceur de celui qui avait avalé d'un seul coup et sa mort et sa vie. Elle dit : je le regardais manger. Je regardais ces mains fines qui avaient donné la mort. Je me suis levée au milieu du repas, je suis allée au jardin et j'ai coupé une rose pour la lui offrir, pour la mettre entre ces mains-là. Et c'est comme chaque fois, vous savez bien : ce n'est pas celle qui donne, c'est celui qui reçoit qui fait la plus grande offrande. C'était une rose de couleur jaune. Il l'a emportée chez lui, dans sa petite chambre avec le lit, le lavabo, la table. Des mois après la rose était encore là, une lumière froide dans un verre. Vers la fin il n'avait plus de visites, plus de lettres — plus rien que cette fleur pétrifiée dans la chambre, une momie de lumière. Pourquoi écrit-on des livres. Pourquoi use-t-on ses forces et ses heures à écrire livre sur livre, à faire carrière de la pensée ou de la beauté. Pourquoi prendre sur le sommeil, sur l'amour, pourquoi prendre sur tout pour écrire un livre, encore un livre. Les philosophes disent : pour la clarté. Les poètes disent : pour la douceur. Mais, si vite qu'ils disent, ils sont en retard sur la réponse depuis toujours venue, de partout renvoyée : pour être aimé. Pour la gloire d'être aimé. Cette réponse, toujours vous l'avez entendue. Elle vaudrait pour les livres comme pour le reste, et ce serait pour ça qu'on fait tout ce qu'on fait — de l'argent, des enfants ou des livres : pour que l'argent, les enfants ou les livres ramènent sur vous l'amour qui manque. Parents qui mendient à leurs enfants une force pour vivre. Écrivains qui réclament à voix d'encre le baiser d'une lumière. Oui cette réponse toujours vous l'avez entendue, et toujours elle vous a paru fausse, ou bien d'une vérité infirme, bonne pour les mauvais parents, bonne pour les mauvais écrivains. On ne peut rien faire pour être aimé — ou alors seulement de mauvaises choses, des livres ratés, des enfants inachevés. L'amour n'est pas mesurable à ce qu'on fait. L'amour vient sans raison, sans mesure, et il repart de même. Quand il est là, on ne peut plus rien. En son absence on peut écrire, si on veut, écrire. Avec un peu de chance l'écriture touche à une vérité. On la mettra au frais d'un livre, on rangera le livre à côté d'autres. Et c'est tout, et c'est inutile, et on sait bien que les livres sont inutiles, qu'écrire vaut ne pas écrire, que rien ne compte que cette fleur cueillie après la fin du monde, cette rose jaune dans les mains longues, une vraie parole d'amour, enfin une vraie pensée, enfin une parole juste, donnée dans le silence, reçue dans le silence — une rose fanée dans un verre à dents, une lumière jusqu'à la fin tremblante dans la petite chambre avec le lit, le lavabo, la table.

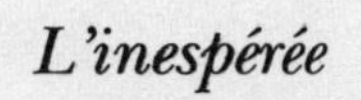

Je reviens de Bretagne, mon amour. La Bretagne est une terre belle comme l'enfance : les fées et les diables y font bon ménage. Il y a des pierres, de l'eau, du ciel et des visages — et ton nom partout chantant dessous le nom des pierres, de l'eau, du ciel et des visages.

Cela fait bien longtemps que je ne sors plus sans toi. Je t'emporte dans la plus simple cachette qui soit : je te cache dans ma joie comme une lettre en plein soleil.

Il y a en Bretagne beaucoup d'églises, presque autant que de sources ou de diables. Dans une chapelle, j'ai vu un bateau large comme deux bras ouverts. Il ne portait ni voiles ni mât — rien d'autre que des bougies. On aurait dit un jouet d'enfant. Sur la coque, ce nom en peinture bleue : *À l'abandon de Dieu.* J'ai aussitôt pensé à toi : ce petit bateau c'est ta vie et c'est toi, mon amour. C'est la pureté de ton cœur mille et mille fois naufragé, mille et mille fois reprenant le large, emportant avec lui cette lumière qui le brûle et le lave.

Je suis fou de pureté. Je suis fou de cette pureté qui n'a rien à voir avec une morale, qui est la vie dans son atome élémentaire, le fait simple et pauvre d'être pour chacun au bord des eaux de sa mort noire et d'y attendre seul, infiniment seul, éternellement seul. La pureté est la matière la plus répandue sur la terre. Elle est comme un chien. Chaque fois que nous ne nous reposons sur rien que sur notre cœur vide, elle revient s'asseoir à nos pieds, nous tenir compagnie.

C'est une chose que tu m'as apprise, mon âme. Tu m'as appris beaucoup de choses. Tu m'as d'abord enfermé dans ton rire comme un écolier dans la classe au mois d'août, puis tu m'as rendu au monde avec pour devoir de l'écrire comme il est : affreusement noir en dessus, miraculeusement pur en dessous.

Dans le train qui m'emmenait en Bretagne,

je lisais un livre de Catherine de Sienne. C'est une sainte du quatorzième siècle. Je sais peu de chose d'elle, sinon qu'elle avait coutume de dire leur vérité aux papes et aux puissants, avec cette violence que peuvent avoir les femmes pour défendre leur enfant. L'enfant des saintes c'est l'amour fou, rendu fou de ne connaître que soi dans un monde qui n'est rien.

Le mouvement du train m'éloignait de toi, et le mouvement de cette lecture m'en rapprochait : les saintes te ressemblent par leur manière d'être gaiement perdues et de jeter leur cœur par la première fenêtre ouverte. Les saintes sont les plus belles des femmes. Elles sont belles de ces forces qui les quittent. Je retrouve dans leur voix le même silence que dans le témoignage de ceux qui sont revenus de camps de concentration — comme si la souffrance et l'amour à leur extrême accrochaient le même nerf taciturne. Ceux à qui on a rasé le crâne et celles à qui on a brûlé le cœur ont en commun de n'avoir plus de langue. Nous vous racontons, disent les déportés, mais plus nous vous raconterons, moins vous comprendrez, et vous ne pourrez pas entendre ce que nous ne saurons jamais dire. Nous appelons, disent les saintes, nous appelons celui qui se tient sur l'autre rive de notre cœur et nous ne saurons jamais s'il nous entend, pas même s'il y a quelqu'un. Ces deux états ont affaire à l'épuisement de la langue parce qu'ils touchent au plus faible de la vie, quand la vie n'est plus que douleur ou joie pures, dépérissement anonyme de la faim, langueur indéfinie de l'absence : l'épreuve de la vie faible est l'épreuve la plus radicale qui soit.

C'est une des choses que j'ai apprises en te regardant. Je pourrais passer ma vie à te regarder vivre : le spectacle de l'intelligence ne lasse jamais. Tes gestes pour essuyer les lèvres d'un enfant ou pour tourner les pages d'un livre que tu n'auras pas le temps de lire, ta manière de mener à bien un travail où il te faut échanger ta solitude contre trois fois rien d'argent — tout de toi m'instruit profondément. Si je veux connaître ce que sont le courage et la noblesse de vivre, il me suffit de te voir et d'écrire selon ce que je vois.

J'écris depuis que tu me lis, depuis cette première lettre dont j'ignorais ce qu'elle pouvait dire, qui ne pouvait trouver son sens que dans tes yeux. Je n'ai jamais rien écrit de plus que les trois premières phrases de cette lettre : *ne rien croire. Ne rien attendre. Espérer que quelque chose, un jour, arrive.* Les mots sont en retard sur nos vies. Tu as toujours été en avance sur ce que j'espérais de toi. Tu as depuis toujours été l'inespérée.

En Bretagne je regardais les visages, les vagues et les ciels, et je n'ai jamais autant perçu la douceur de cette vie-là, promise à la mort : il nous faudrait éclairer chaque présence d'un amour à chaque fois unique, adressé en elle à sa solitude inconsolable et pure. Il nous faudrait apprendre à compter un par un chaque visage, chaque vague et chaque ciel, en donnant à chacun la lumière qui lui revient dans cette vie obscure.

Tout le mal dans cette vie provient d'un défaut d'attention à ce qu'elle a de faible et d'éphémère. Le mal n'a pas d'autre cause que notre négligence et le bien ne peut naître que d'une résistance à cet ensommeillement, que d'une insomnie de l'esprit portant notre attention à son point d'incandescence — même si une telle attention pure nous est, dans le fond, impossible : seul un Dieu pourrait être présent sans défaillance à la vie nue, sans que sa présence jamais ne défaille dans un sommeil, une pensée ou un désir. Seul un Dieu pourrait être assez insoucieux de soi pour se soucier, *sans relâche*, de la vie merveilleusement perdue à chaque seconde qui va. Dieu est le nom de cette place jamais assombrie par une négligence, le nom d'un phare au bord des côtes. Et peut-être cette place est-elle vide, et peut-être ce phare est-il depuis toujours abandonné, mais cela n'a aucune espèce d'importance : il nous faut faire comme si cette place était tenue, comme si ce phare était habité. Il nous faut venir en aide à Dieu sur son rocher et appeler un par un chaque visage, chaque vague et chaque ciel — sans en oublier un seul.

Ce que je te dis là me vient de toi. J'ai appris en voyant ta vie simple ce que les femmes savent par douleur de savoir, par nécessité de douleur et de place, et que les hommes sont si lourds à entendre, épaissis qu'ils sont dans leur suffisance d'hommes, recuits dans leur maîtrise des apparences du monde, seulement de ses apparences : plus on se tient près de la vie faible et plus on se rapproche du bien pur, sans espérer un jour l'atteindre : personne n'est saint dans cette vie, ce que savent fort bien les saintes qui se connaissent pour ce qu'elles sont, les plus perdues des femmes — mesurant par l'étendue d'un chant la grandeur de cette perte. Personne n'est saint dans cette vie, seule cette vie l'est.

Moi dont le cœur voyage aussi mal qu'un panier de fraises, je n'ai cessé de goûter en Bretagne à la légèreté chantante des jours — autre nom de la pureté et autre nom de toi, mon amour.

Tu es partout présente et je regarde le monde par tes yeux clairs : il est comme une passerelle de bois entre nous deux, depuis toujours franchie.

Le simple toucher de l'air sur mes joues, dans une promenade au bord de l'océan, c'était toi, entière : c'est difficile de t'expliquer cela et je ne suis pas sûr qu'il soit besoin d'expliquer ce que l'on vit. La vie est à elle-même son propre sens, pour peu qu'elle soit vivante.

Ce voyage n'a duré que quatre jours et il me semble que je pourrais t'en parler pendant des années. Très peu me donne beaucoup à voir. *Très-Peu* est pour moi le nom de l'abondance.

J'ai au cœur une bête sauvage qui ne sort que la nuit et pour quelques secondes. Elle s'empare des restes abandonnés par le jour — feuille, visage ou parole — et elle regagne précipitamment son trou, ayant trouvé de quoi manger pour deux siècles. Ce n'est jamais la même chose dont elle se nourrit — ici un voyage, là une lecture, ailleurs un silence — mais c'est toujours la même joie qui est cherchée et parfois atteinte, une joie enfantine et légère comme une tache de soleil.

Je n'imagine pas jamais te perdre, sinon en perdant ce rien de joie nécessaire pour respirer, simplement respirer. Et cela m'arrive, bien sûr : pourquoi cela ne m'arriverait-il pas ? Pour te décrire cet état, il me faudrait t'en parler comme d'une maladie : la température du songe baisse de plusieurs degrés. Le pouls de l'esprit est de moins en moins perceptible. La pensée s'éteint. Ne reste plus que cette vie apparente qui n'a jamais été une vie pour personne. Elle est comme une contamination virale de l'esprit, un manque de foi, non pas en Dieu, pas même en moi — un manque de foi comme on dit : un manque de sucre ou de globules rouges.

C'est le goût de vivre qui est blessé dans ces heures-là. C'est toujours l'amour en nous qui est blessé, c'est toujours de l'amour que nous souffrons même quand nous croyons ne souffrir de rien.

La contemplation boudeuse, dans la petite enfance, d'un plafond de chambre ou d'un bout de trottoir, m'a révélé plus de choses sur l'enfer que tous les livres de sagesse lus ensuite. L'enfer c'est cette vie quand nous ne l'aimons plus. Une vie sans amour est une vie abandonnée, bien plus abandonnée qu'un mort.

Mais, même dans ces heures-là, je ne te perds pas complètement : tu es, mon amour, la joie qui me reste quand je n'ai plus de joie.

Un jour je te dirai à quel point je t'oublie dans le premier visage venu et à quel point je t'y retrouve.

Je souris en écrivant cette lettre et je ne l'ai sans doute écrite que pour ce sourire-là, que tu me donnes. J'ai encore beaucoup de choses à te dire. Je les mettrai dans les livres : je n'ai jamais écrit que pour toi, dans l'espérance que l'imbécillité de l'amour me sauve de la stupidité de la littérature.

Allez va, va petit bateau chahuté par les vagues, va délivrer ta cargaison de lumières,

je t'embrasse.

DU MÊME AUTEUR

Aux Éditions Gallimard

LA PART MANQUANTE (Folio n° 2554)

LA FEMME À VENIR

UNE PETITE ROBE DE FÊTE (Folio n° 2466)

LE TRÈS-BAS (Folio n° 2681)

L'INESPÉRÉE

LA FOLLE ALLURE

DONNE-MOI QUELQUE CHOSE QUI NE MEURE PAS, en collaboration avec Édouard Boubat

Aux Éditions Fata Morgana

SOUVERAINETÉ DU VIDE (Folio n° 2680)

LETTRES D'OR (Folio n° 2680)

L'HOMME DU DÉSASTRE

ÉLOGE DU RIEN

LE COLPORTEUR

LA VIE PASSANTE

LE LIVRE INUTILE

Aux Éditions Lettres Vives

L'ENCHANTEMENT SIMPLE

LE HUITIÈME JOUR DE LA SEMAINE

L'AUTRE VISAGE

L'ÉLOIGNEMENT DU MONDE

Aux Éditions Paroles d'Aube

LA MERVEILLE ET L'OBSCUR

Aux Éditions Brandes

LETTRE POURPRE

LE FEU DES CHAMBRES

Aux Éditions Le temps qu'il fait

ISABELLE BRUGES

QUELQUES JOURS AVEC ELLES

L'ÉPUISEMENT

L'HOMME QUI MARCHE

Aux Éditions Théodore Balmoral

CŒUR DE NEIGE

Composition Euronumérique.
Impression Bussière à Saint-Amand (Cher),
le 20 mars 1996.
Dépôt légal : mars 1996.
Numéro d'imprimeur : 544.
ISBN 2-07-039455-7./Imprimé en France.

74389